Jean-Luc Durand
7 mai 2002
Scarborough Ont

D1291386

CHER FIDEL

MARITA LORENZ

CHER FIDEL

Avec la collaboration
de Wilfried Huismann

*Traduit de l'allemand
par Jean-Baptiste Grasset
et Ole Hansen-Löve*

l'Archipel

Ce livre a été publié sous le titre
Lieber Fidel
par Econ Ullstein List Verlag GmbH, 2001.

Si vous souhaitez recevoir notre catalogue
et être tenu au courant de nos publications,
envoyez vos nom et adresse, en citant ce
livre, aux Éditions de l'Archipel,
34, rue des Bourdonnais, 75001 Paris.
Et, pour le Canada, à
Édipresse Inc., 945, avenue Beaumont,
Montréal, Québec, H3N 1W3.

ISBN 2-84187-343-9

Prologue

Il était une fois un vieux marin qui, voici bien des années, me parla du capitaine Heinrich Lorenz, avec lequel il avait jadis navigué en qualité d'officier. Ce capitaine avait une fille ravissante, qui l'accompagnait souvent dans ses traversées. Un jour, alors qu'ils mouillaient en face de La Havane, le jeune triomphateur de la guerre civile, Fidel Castro, monta à bord du Berlin pour visiter ce navire et partager une bière allemande avec son capitaine.

Fidel s'éprit dès le premier jour de la fille d'Heinrich Lorenz et pria celui-ci de la laisser s'installer dans son pays. Il entendait faire d'elle « la reine de Cuba ». Le vieux loup de mer le remercia de cette offre que, toutefois, il déclina. C'était compter sans la jeune rebelle, qui choisit de demeurer auprès de son prince charmant et, bientôt, se trouva enceinte de lui.

Voilà une bien belle histoire, me dis-je. Je ne fis pourtant que la classer dans mon tiroir aux souvenirs. Mais, depuis lors, elle n'a cessé de me trotter dans la tête.

Il m'arriva par la suite d'apercevoir le nom de Marita Lorenz dans la presse nord-américaine : une première fois en tant que témoin dans l'assassinat de John Fitzgerald Kennedy, puis quand elle fut reconnue agent de la CIA, sans doute membre du très mystérieux commando

« *Opération 40* ». *Tout cela évoquait les plus sombres affaires d'espionnage de la guerre froide. En 1994, je me lançai sur la piste de Marita Lorenz. Cependant, elle semblait avoir disparu de la surface du globe. Et ce n'est qu'en 1998, grâce à l'aide de sa sœur Valérie, que je retrouvai sa trace, près de New York.*

Je rencontrai alors une pauvre femme de soixante ans, malade et irritable, très marquée physiquement, le visage livide creusé de cernes et gonflé par la cortisone. Ses cheveux, teints en brun et maintenus par des tonnes de spray, évoquaient un couvercle de marmite. Elle portait des lunettes rectangulaires de couleur sombre, beaucoup trop larges. Comment croire que cette sexagénaire, égarée dans une banlieue new-yorkaise, fût bien la Mata-Hari de Brême ?

Marita Lorenz partage son logement avec son vieux chien Wussy, que la goutte empêche de courir, deux chats, un cochon d'Inde, une tortue et un piranha mort, qu'elle sort du congélateur pour me le montrer. Quand le poisson est mort, il y a des années de cela, elle n'a pu se résoudre à le jeter à la poubelle car, de son vivant, il avait été le gardien des bijoux enfouis dans le limon de son aquarium.

Les étagères portent des centaines de livres sur Fidel Castro et la révolution cubaine, sur l'histoire des services secrets, sur les guerres. « Je n'aime pas beaucoup les romans, explique-t-elle, ce qui m'intéresse ce sont les crimes pour de vrai. » Son passe-temps favori est de regarder la très américaine émission « Court TV » : procès en direct, meurtres en tout genre...

Marita Lorenz ne vit que de subsides. Cela fait plus de dix ans qu'elle ne s'est rien acheté, pas le moindre vêtement, pas le moindre meuble... Elle ne perçoit aucune pension, ni de la CIA, ni du FBI, faute d'avoir mené à bien la mission qui lui avait été assignée : assassiner

8

Fidel Castro. « La CIA ne pardonne jamais. » Marita Lorenz se sent seule et abandonnée. Il y a bien longtemps que Fidel, dont elle rêve encore la nuit, a cessé de répondre à ses lettres. « Il m'a brisé le cœur, à moi qui l'avais sauvé de la mort. »

Dans le Queens, elle vit au milieu d'alcooliques et de paumés. Marita est ici la seule personne à lire le New York Times. Elle jouit du plus grand respect de ses voisins et veille à l'ordre public. Son voisin Billy se sent rassuré à l'idée qu'habite là, comme il l'appelle avec admiration, cette « véritable tueuse ».

Elle m'accueille d'un air pour le moins sceptique, soupçonnant ce prétendu journaliste d'appartenir à la CIA. Mais, dès qu'elle est sûre que je viens de sa ville natale, Brême, c'est tout son passé qui soudain rejaillit.

Oui, elle a attendu de Castro un enfant. Oui, après sa période d'amour fou avec Fidel, elle est devenue agent de la CIA et a été entraînée en Floride, au camp des Everglades, seule et unique femme d'un groupe de cinq mille hommes préparé à lancer une offensive contre Cuba.

Maintenant, elle n'arrête plus de parler. De ses histoires avec des huiles de la police, des dictateurs, des patrons de la mafia – et de ses dangereuses missions d'agent secret.

Après cinq longues heures, où elle me raconte ses aventures, ma tête bourdonne. Je me sens bouleversé par le drame de cette femme qui, toujours, a vécu sur le fil du rasoir. Marita, au contraire, paraît revivre. Elle a retrouvé des couleurs et une sorte d'enjouement. Ses épaisses lunettes, qui dissimulaient ses grands yeux bruns, maintenant vifs comme l'éclair, sont posées sur la table.

Tout cela ressemble à un conte de fées. Marita saisit, à mon air, que je ne crois pas la moitié de ce qu'elle me raconte. Alors, d'un geste résolu, elle ouvre un énorme et antique coffre de marine, débordant de papiers et de photographies. Sur le dessus, se trouve une photo d'elle et de Fidel, prise à bord du Berlin, *en février 1959 ; sous la table, ils se tiennent furtivement la main. Elle fouille dans le coffre, en extrait des documents qui témoignent de son rôle actif à la CIA. Tout au fond, elle retrouve des reliques des mois heureux passés avec Fidel Castro : l'uniforme d'apparat qu'elle portait dans l'armée rebelle, une vieille casquette vert olive, avec l'étoile, ayant appartenu au commandant Castro...*

La biographie de Marita a l'apparence d'un roman. Pourtant, je découvre peu à peu que rien n'est fiction.

Pour dissiper mes derniers doutes, je consacre les mois suivants à parcourir Cuba et la Floride, à la recherche de ses compagnons de route. Je rencontre alors quelques dinosaures de la guerre froide, qui tous ont croisé la séduisante Allemande : Gerry Patrick Hemming, ancien chef de la « Brigade de pénétration anticommuniste » ; Al Chestone, supérieur de Marita au FBI ; Jesús Yáñez Pelletier, ancien aide de camp de Fidel Castro, à qui, un jour, il sauva la vie... De véritables personnages de thriller, qui se souviennent fort bien de Marita, certains avec tendresse et regret, d'autres avec crainte.

J'en suis désormais convaincu : l'histoire de Marita n'est pas le fruit de son imagination. Seule la vie réelle peut se montrer aussi extravagante.

Lors de ma deuxième visite, j'explique à Marita que je vais me rendre à Cuba avec une équipe de tournage, pour tirer un documentaire des traces subsistant là-bas de son existence. Spontanément, elle me répond : « Alors, je viens aussi. Si jamais Fidel entend parler de ça, il va en faire une maladie. » Et, le jour même, elle s'assied à sa table pour écrire une lettre qu'elle confiera à la mission cubaine de New York :

« Cher Fidel,

Je te regrette beaucoup et pense à toi chaque jour. Je suis toujours en vie, au grand déplaisir du gouvernement américain. Chaque fois que je te vois à la télévision, je me sens très fière de toi. Mon cœur sera toujours à toi et à Cuba. J'ai fait un infarctus, j'ai une hanche fichue. Mon plus grand désir est de pouvoir te rencontrer encore une fois. Je serai à Cuba au mois de mars.

Amour toujours.

Ton Alemana,

Marita »

Wilfried Huismann

1

MON ENFANCE :
UN BATEAU ARRIVERA

Mon père Heinrich naquit le 8 avril 1898 à Bad Münster am Stein. Après ses études secondaires, il entra comme cadet sur le bateau-école *Prinzessin Eitel Friedrich*. Quartier-maître et officier radio sur différents navires marchands, il devint, en 1918, aspirant dans la marine. En 1919, la Première Guerre mondiale achevée, il fut, pendant deux ans, second pilote sur un quatre-mâts qui croisait en Amérique du Sud. Ensuite, il navigua en tant qu'officier sur plusieurs bateaux de la Norddeutsche Lloyd qui desservaient l'Extrême-Orient.

En 1932, il est capitaine en second du *Bremen* quand il fait la connaissance de ma mère, Alice June Lofland. Danseuse à Broadway, elle se rendait en France pour y devenir comédienne. Au lieu de tourner dans l'un des premiers films parlants, elle tomba amoureuse de mon père et se retrouva mariée, à Bremerhaven. Mais elle ne pouvait supporter ce port brumeux qui empestait le poisson, et était dépourvu de toute vie culturelle. Aussi mon père prit-il soin de la délester de son passeport, pour le cas où il lui prendrait la fantaisie de filer un jour que lui-même se trouverait en mer. Finalement, ma mère parvint à imposer que notre famille déménage à Brême, une vraie ville.

En 1936, papa se trouvait dans la tribune d'honneur, parmi d'autres officiers supérieurs, pour assister à la cérémonie d'ouverture des jeux Olympiques. Un familier de Hitler chuchota alors à l'oreille de ce dernier que le capitaine Heinrich Lorenz avait épousé une Américaine. Hitler fit appeler le capitaine Lorenz et lui demanda d'un ton aigrelet si une épouse germanique n'aurait pas tout aussi bien convenu à un officier allemand. Mon père lui rétorqua : « Mon Führer, je n'ai jamais jusqu'ici rencontré en Allemagne de femme aussi belle et aussi sage que la mienne ; de plus, elle est enceinte. » Cette énergique réponse, au grand soulagement de papa, déclencha l'hilarité générale.

Papa et maman : un couple d'agents secrets

En 1938, papa se trouva impliqué dans un des plus graves scandales d'espionnage jamais découverts à New York par le FBI. Des agents de la sûreté allemande, arrivés à New York comme prétendus membres d'équipage du *Bremen* et de l'*Europa*, s'y étaient établis pour mettre en place un réseau. Papa était innocent mais, en tant que capitaine de l'*Europa*, il n'en fut pas moins gardé à vue, cependant que la coiffeuse de bord, Johanna Hofman, était arrêtée pour espionnage. Papa, considérant avoir été abusé à des fins politiques, se montra tout à fait coopérant avec les agents du FBI, Torreu et Danigan.

Heinrich Lorenz était dans un tel état de fureur qu'il fit savoir à Adolf Hitler, par le truchement de l'amiral Canaris, que le FBI n'aurait pas même à chercher de drapeaux SS ou nazis à bord du navire qu'il commandait, car lui-même s'était chargé de « les jeter personnellement par-dessus bord ».

Fin août 1939, dans la tension des dernières semaines qui précédèrent le déclenchement de la Seconde Guerre mondiale, le *Bremen* fut immobilisé trente-six heures à New York par la police portuaire. Le commandant de bord était le capitaine Ahrens, papa, son second. Le *Bremen* put toutefois lever l'ancre et prendre le large avant que la guerre n'éclate. Commença alors pour le navire allemand un terrible jeu de cache-cache avec la marine britannique, qui chercha à l'arraisonner en haute mer. Le capitaine Ahrens et mon père ramenèrent le *Bremen* sain et sauf au port de Mourmansk, en Union soviétique. Papa put alors rejoindre maman et me prendre dans ses bras pour la première fois, car j'étais venue au monde juste avant le début des hostilités.

Des sept enfants que ma mère allait porter, seuls quatre survécurent. Je suis la plus jeune des quatre. Le 18 août 1939, tandis que l'Allemagne se préparait à envahir la Pologne, ma mère était entrée à la fondation Saint-Joseph, à Brême, où elle donna le jour à des jumelles. Peu de temps avant, pour avoir voulu consulter son gynécologue habituel, qui était juif, elle avait physiquement affronté un officier SS. C'est, à mon avis, une des raisons pour lesquelles ma sœur jumelle fut mort-née. Toute sa vie durant, ma mère considéra que « la bienheureuse Ilona » survivait en moi, « Marita la plus forte ». En dépit de sa constante opposition aux nazis, le fait d'avoir eu quatre enfants lui valut de recevoir la Croix des Mères.

Pendant la guerre, papa, lieutenant-capitaine sur des bâtiments météorologiques et des navires de guerre, croisa dans les eaux groenlandaises. Il fut rappelé en 1941 au commandement du *Bremen*. Hitler nourrissait alors le projet de charger ce paquebot de chars et de canons pour l'utiliser dans le cadre de « l'opération Otarie », qui devait permettre d'envahir l'Angleterre.

Cependant, il n'en alla pas ainsi. Le 16 mars 1941, papa reçut un appel urgent : son navire était la proie des flammes – conséquence d'un attentat. Mon père accepta la version officielle, selon laquelle un jeune mousse d'à peine quinze ans aurait mis le feu au navire, en geste d'hostilité. Ce garçon fut par la suite déclaré coupable et, sur ordre personnel de Hitler, condamné à mort et fusillé. A la fin de l'année 2000, de passage à Bremerhaven, je rencontrai, à la Norddeutsche Lloyd, quelques anciens collègues de papa. Ils m'expliquèrent que ce mousse n'avait été qu'un bouc émissaire, exécuté pour l'exemple afin de dissimuler que les services britanniques étaient parvenus à infiltrer la marine allemande.

C'est peu après le début de la guerre que ma mère tomba pour la première fois dans les griffes de la Gestapo. Elle fut arrêtée et interrogée. On la soupçonnait d'avoir collaboré avec les services secrets britanniques et d'avoir eu vent du projet de sabotage du *Bremen*. Il fut impossible de prouver quoi que ce soit contre elle, mais elle fut surveillée durant plusieurs mois. Quand elle tenta, par le biais du consulat suisse, de regagner les États-Unis avec ses enfants, elle fut de nouveau arrêtée, et cette fois accusée d'intelligence avec l'ennemi. Tout cela, elle devait me le raconter bien des années plus tard.

Les affres de la guerre

A Brême, pendant la guerre, les hivers furent très froids. De plus, comme on ne trouvait plus les habituels boulets ovales, maman et les autres femmes devaient fendre menu de gros morceaux de charbon, dont les éclats, telles des lames de rasoir, tailladaient leurs mains. Dans le jardin, derrière notre maison du 31 Kronprinzenstrasse, un feu restait entretenu pour cuisiner et chauffer l'eau ; c'est aussi dans le jardin que maman creusait pour trouver un peu d'eau à chaque fois qu'une coupure survenait.

Pain noir, raves, choux, pois, fèves et lentilles composaient l'essentiel de notre alimentation, mais nous préparions aussi des compotes grâce aux quelques arbustes du jardin qui survivaient aux bombardements. Car les bombes ne cessaient de frapper notre quartier, raison pour laquelle on me donna une petite marmite à porter constamment sur la tête, pour me protéger des éclats d'obus et autres débris volants.

La cave était devenue notre salle de séjour. J'y passais mes jours et mes nuits auprès de ma mère, tandis que mes frères et sœurs, plus âgés, étaient souvent confiés à des amis ou à des connaissances. Mon frère Philip demeurait par intermittence chez une femme qui avait, dans sa chambre, un grand piano à queue. Ce piano faisait le bonheur de Philip, qui avait le droit d'en jouer autant qu'il le voulait. Il ne le quittait pour ainsi dire pas, allant, malgré la peur des bombes, jusqu'à dormir au-dessous de l'instrument, enroulé dans une couverture. Plus tard, devenu pianiste de réputation mondiale, il avait coutume de dire, en plaisantant, que ces nuits passées sous un piano à queue avaient largement contribué à son inspiration.

Une bombe au phosphore tomba une nuit sur notre maison, transperçant le toit et les deux étages supérieurs. L'escalier était en flammes, l'odeur de bois brûlé, irrespirable. Affolée, je me traînai jusqu'au deuxième étage pour rejoindre ma mère, restée dans la chambre. Elle était blessée, le visage tordu par la douleur. Je me couchai auprès d'elle, l'implorant de ne pas se laisser mourir. Puis je lui apportai une tasse d'eau que je lui fis boire à la cuiller et je la couvris d'un manteau, car il faisait vraiment froid. Je m'endormis à côté d'elle en apercevant des flocons de neige qui tourbillonnaient par la brèche du toit. Au réveil, mon regard plongea dans le bleu riant de ses yeux. Ma mère n'était pas morte. Elle reprit bientôt des forces.

Chaque fois que Brême était bombardée, je descendais avec elle à la cave. C'était formellement interdit, mais jamais elle ne serait allée se réfugier dans un bunker allemand, auprès de nazis patentés. Dans la cave, nous nous blottissions entre un tonneau de harengs et une montagne de bananes vertes, que papa avait rapportées de l'une de ses rares permissions. Pendant les bombardements, nous apercevions, par le soupirail, des bottes de soldats allemands. Nous restions cachées là comme des petites souris muettes, et jamais ne fûmes découvertes. Je me souviens aussi d'un poste radio que maman avait dissimulé dans la cave. Elle l'allumait souvent, mais je savais qu'il ne fallait en aucun cas en faire état.

Un jour, lors d'une alerte, un Russe du « Service du travail obligatoire » entra chez nous complètement ivre. Il tenta de violenter ma mère puis lui réclama du whisky. Maman lui tendit une bouteille pleine… de diluant pour tissus. Il mourut sur-le-champ et j'aidai ma mère à transporter son corps dans le jardin. Nous le poussâmes dans un cratère creusé par une bombe et le recouvrîmes de terre gelée.

Mais elle ne s'arrêta pas là. Un jour, elle rencontra dans la rue un Français du STO, à moitié mort de faim et grelottant de froid. Elle revint lui porter un petit pain, le plus naturellement du monde. Un soldat, qui avait observé la scène, l'entraîna avec force bourrades et coups de pied jusqu'au poste le plus proche. Elle atterrit sur la paillasse d'une cellule minuscule, où on lui concéda un peu de pain et d'eau. Et dut attendre quelques jours avant de pouvoir rentrer chez elle.

Bergen-Belsen

J'avais cinq ans lorsque, à la suite d'une dénonciation, la Gestapo vint chercher ma mère et l'emmena de force. A cette date, papa avait sans doute déjà été fait prisonnier. Tous les élèves du collège de Joachim avaient été transférés à Meissen. Philip, mon autre frère, et Valérie, ma sœur, furent placés dans des familles du voisinage. Je me retrouvai, pour ma part, dans une maison de santé pour enfants, à Drangstedt, non loin de Bremerhaven, alors que je n'étais pas du tout malade. La clinique se trouvait dans une forêt obscure, les fenêtres de ma chambre étaient lourdement grillagées. A travers les barreaux, je ne voyais rien d'autre que les cimes menaçantes des hauts sapins. Dès que j'apercevais un oiseau, je murmurais : « S'il te plaît, petit oiseau, retrouve-moi ma maman, va chercher mon papa. » Je voyais aussi des hommes en uniforme, flanqués de leurs bergers allemands. Aujourd'hui encore, j'ai en mémoire l'odeur des désinfectants, de l'huile de foie de morue, du sang caillé des seringues. Car on nous faisait toutes sortes de piqûres, les enfants de cet établissement servant de cobayes à des expériences médicales. Tous mes petits camarades venaient eux aussi de parents « mélangés », ce n'étaient pas des Allemands de pure souche.

Je me sentais infiniment seule, je n'aspirais qu'à retrouver ma mère. La surveillante, toute de gris vêtue, ne cessait de me tourmenter. Souvent, pour m'effrayer, elle ouvrait une trappe dans le couloir et me poussait devant elle, face à un trou d'où émanait un relent de cadavres.

Un jour, nous entendîmes approcher un puissant grondement. C'étaient des bombardiers anglais. La terre tremblait sous les impacts, le ciel rougeoyait. En toute hâte, on nous fit monter dans un camion qui nous transporta ailleurs. Je revois encore les grands bouleaux bordant la route de Bergen-Belsen. Une fois arrivée au camp de concentration, je fus placée dans un baraquement pour enfants. Comment aurais-je pu savoir que ma mère, prisonnière politique, se trouvait au même moment dans ce camp?

L'une et l'autre sortîmes vivantes de Bergen-Belsen, mais ces souvenirs effroyables me poursuivront jusqu'à ma dernière heure. Je suis une enfant de la guerre. Je me sens souvent coupable d'avoir survécu, alors qu'autour de moi tant d'enfants moururent. A peine avaient-ils expiré que nous détroussions nos camarades de leurs vêtements, de leurs chaussures. Une fois, j'avais si faim que j'arrachai même une carotte de la main glacée d'une petite fille morte. Je me souviens aussi d'un garçonnet nommé Peter. Il restait allongé sur sa paillasse puante, les deux jambes dans le plâtre, si affamé qu'il détachait des morceaux de son plâtre et les avalait. Il m'arrivait souvent de retenir sa main pour lui donner un peu de pain noir ou un bout de pomme de terre, au goût de cendre. Une surveillante, qui avait observé mon manège, me botta les fesses pour avoir aidé ce malheureux. J'ignore si Peter s'en est sorti, j'ignore ce qu'il est devenu.

Durant les dernières semaines, à Bergen-Belsen, nous n'attendions plus que la mort. Nous l'aurions accueillie comme une délivrance. Le froid était mordant, je souffrais de douleurs terribles. Et cette perpétuelle odeur de cadavres et d'immondices... La mort. Moi-même, j'allai un jour jusqu'à la rechercher, cette délivrance. Les gardiennes m'avaient raconté que mes parents étaient décédés. Par ce mensonge, c'est mon âme qu'elles assassinaient. Je me glissai alors sous mon grabat de bois, dans le baraquement, pour y attendre l'apaisement final. Jusqu'alors, je m'étais accrochée à la vie dans l'espoir qu'un jour papa viendrait me chercher, qu'il m'emmènerait sur son bateau. Je ne cessais de rêver à la mer, aux vaisseaux, à ces lointains pays ensoleillés, aux palmiers.

Sans doute restai-je assez longtemps inerte sous ce grabat. C'est un ambulancier britannique qui me découvrit. Suite à une épidémie de typhus, il fallait brûler le baraquement. Lors de l'ultime inspection, il me tira de mon réduit, m'attrapant par les jambes. Après un épouillage en règle, on me réalimenta peu à peu au mess des officiers du camp de concentration. Ce local avait été transformé en hôpital provisoire pour les enfants rescapés. Quand, après quelques semaines, je fus à nouveau en état de me déplacer, j'aperçus, de la balustrade du second étage, la monstrueuse croix gammée de marbre rose érigée dans le vestibule.

Joachim Lorenz

L'aîné des frères de Marita est venu de Boston pour chercher à Brême des traces de son enfance. C'est un homme corpulent, flegmatique, aux yeux d'un bleu perçant sur un visage rougeaud. Sa voix de basse est retentissante et son rire tonitruant. Il enseigne les sciences politiques à Boston et, à l'inverse de Marita, fait partie de l'establishment américain. Je parcours avec lui la Richard-Dehmel Strasse – ainsi s'appelle désormais l'ancienne Kronprinzenstrasse.

Joachim, qu'aux États-Unis on appelle Joe, n'est pas persuadé que sa mère ait travaillé, pendant la guerre, pour un service secret de l'armée américaine. Il lui semble plutôt qu'elle a mené une sorte de « résistance individuelle » contre le régime nazi. D'après lui, elle n'aurait été recrutée par la CIA qu'en 1945, après la Libération.

Dès le début de la guerre, Joachim et ses frère et sœurs avaient bien senti que leur mère était quelque peu différente de ses voisins. Le 2 septembre 1939, quand, en rentrant de l'école, il s'était écrié, plein d'enthousiasme : « Maman, maman, nous avons battu la Pologne ! », Alice June lui avait flanqué une gifle en s'écriant : « Jamais plus je ne veux entendre chez moi de tels propos ! »

Pour lui éviter de possibles tracas à l'école, sa mère l'avait envoyé chez le coiffeur et, quand ce dernier lui demanda comment il voulait sa raie, il répondit : « De l'autre côté que celle du Führer, c'est ce que m'a dit maman. » Le coiffeur et les autres clients s'indignèrent contre cette « Américaine » qui, manifestement, avait décidé d'élever ses enfants en « ennemis du peuple ».

Dans une rue latérale, Joachim Lorenz cherche un terrain où, à l'époque, se trouvait un camp de Français du STO. Tout jeune, il passait devant quand il se rendait à ses cours de musique, son violon sous le bras. Sa mère lui avait demandé, chaque fois qu'il arrivait devant ce casernement, de crier aux travailleurs forcés, et en français : « Vive la liberté ! » Jamais il n'avait dérogé à cette injonction. Encore enfant, il introduisait subrepticement des vivres dans ce camp et, une fois, il leur fit même passer un récepteur radio.

J'interroge Joe Lorenz sur le couple que formaient ses parents : son père, lieutenant-capitaine, combattait pour la « victoire finale » allemande, sa mère était, elle, une héroïque résistante… Comment donc pouvaient-ils s'accorder ? Joachim Lorenz est convaincu que son père, quoique contraint de servir dans l'armée allemande, n'était pas un partisan de Hitler. Il pense plutôt que le capitaine était, en réalité, un agent double. Un jour, dans leur villa du quartier de Schwachhausen, une ardente discussion s'engagea avec leur invité, un amiral, qui se prolongea fort tard dans la nuit. Joachim, réveillé par leurs éclats de voix, s'était glissé jusqu'à la porte du salon et avait tendu l'oreille. L'amiral tentait d'enrôler Heinrich Lorenz dans un réseau acquis à la cause des futurs vainqueurs. Le capitaine refusa cependant. Cela aurait été bien trop dangereux pour toutes les parties impliquées, d'autant que sa femme était américaine. S'il consentait à jouer ce rôle, tous se retrouveraient tôt ou tard devant un peloton d'exécution.

Cet amiral ne tarda guère, du reste, à expier sa trahison envers l'Allemagne nazie. En avril 1944, il fut condamné à mort par un tribunal SS et pendu au camp de concentration de Flossenbürg. Son nom : Wilhelm Canaris. Le chef de la Sûreté allemande, des années durant, avait été un agent double qui communiquait aux Alliés les plans d'attaque allemands. Joachim, par la suite, reconnut son visage sur une photographie.

J'ai retrouvé dans les archives américaines un document concernant Heinrich Lorenz. Il s'agit d'une lettre adressée par le SAC de Miami au directeur du FBI, en date du 4 décembre 1950 :

« Le service secret de la marine nous a fait connaître, par un rapport du 6 octobre 1946, que près de Brême, dans un entrepôt de sel, ont été découverts de très nombreux documents de la Sûreté allemande. On y apprend notamment que Heinrich Lorenz a servi d'agent sous le numéro F2319. Les services secrets de l'armée sont chargés d'examiner les actuelles activités dudit Lorenz, de découvrir avec qui il est en relation, et s'il continue à fournir des informations recueillies aux États-Unis. »

En 1944, les bombardements avaient transformé Brême, naguère l'un des principaux centres de l'industrie d'armement allemande, en un vaste champ de ruines. Joe se souvient s'être un jour enfoncé une épingle dans le pied. A cinq heures du matin, à travers la ville dévastée, il s'était rendu à l'hôpital en boitillant, au bras de sa mère. Soudain, ils avaient aperçu, parmi les ruines, un soldat vêtu d'un uniforme étranger. C'était un pilote britannique dont l'avion avait été abattu. Alice June Lorenz parla à cet homme et lui donna leur adresse, pour qu'il se cache dans la remise. De retour de l'hôpital, elle fit revêtir au pilote un uniforme de soirée appartenant à son mari. Grâce à cette courageuse initiative, l'Anglais parvint à gagner la Suisse.

Alice June aida aussi à s'enfuir quelques Français du STO, affectés au ramassage des ordures à Schwachhausen. Le fait est attesté par une lettre de remerciements que lui adressa, après-guerre, la Résistance française, pour avoir appartenu à « une organisation clandestine » ayant rendu la liberté à « un nombre important » de Français prisonniers de guerre ou travailleurs forcés.

En avril 1945, lorsque Joachim Lorenz, fuyant l'Armée rouge, revient de Meissen à Brême, la maison familiale est vide. Des voisins lui expliquent que sa mère se trouve à Bergen-Belsen. Alors âgé de douze ans, il se rend en train dans cette ville qu'il ne connaît pas et se met en quête du camp de concentration. Il longe indéfiniment le haut mur d'enceinte ; deux employés du camp, vêtus en civil, lui tombent dessus et le questionnent. Puis, pris de pitié pour cet enfant, ils l'aident à s'introduire dans le camp et lui montrent le chemin de l'infirmerie : ils ont entendu dire que « l'Américaine » s'y trouvait. Joachim y retrouve effectivement sa mère, qui souffre de dénutrition et d'une sévère inflammation pulmonaire. Elle est à l'article de la mort, mais revoir son fils la fait revivre.

Le lendemain, Joachim effectue de nouveau le trajet de Brême à Bergen-Belsen, cette fois en compagnie d'un médecin du voisinage qui parvient à obtenir qu'Alice June soit libérée et ramenée chez elle. Peu après, une unité de la police militaire américaine se présente à leur domicile. Brême et Bremerhaven ont été libérés et dépendent maintenant du secteur américain. Le gouverneur militaire accorde à Alice June Lorenz le titre de major et lui propose de devenir son assistante personnelle. Pour cela, il est nécessaire qu'elle s'établisse sans plus attendre au siège du commandement américain, à Bremerhaven. Mais elle refuse. Sa cadette, Marita, a disparu sans laisser la moindre trace. Personne ne sait où se trouve l'enfant. Le CIC entreprend alors des recherches et, quelques jours plus tard, le major Davis découvre Marita sous son grabat, parmi les enfants survivants de Bergen-Belsen.

« Nous étions si heureux que Marita se trouve à nouveau parmi nous », se souvient Joe. « Chaque fois que mon frère Philip ou moi lui demandions de faire quelque chose et qu'elle ne voulait pas, il nous suffisait de lui dire : "Tu vas retourner à Drangstedt !", et tout de suite elle nous obéissait. »

Je rencontre Marita chez elle, pour la première fois, à l'automne 1998. Elle me montre un avis du ministère de la Justice : en tant que rescapée d'un camp de concentration, elle va percevoir un dédommagement du gouvernement allemand, en un unique versement... Cinquante-cinq ans après avoir été délivrée de l'enfer.

Rapines à Bremerhaven

Un jour, ma mère se trouvait avec un groupe d'officiers anglais et américains sur le seuil de l'hôpital provisoire de Bergen-Belsen. Elle m'avait enfin retrouvée. Un officier noir américain me porta jusqu'à la Jeep et nous conduisit à Bremerhaven. Ma mère avait finalement accepté le poste d'assistante du gouverneur militaire, avec le grade de major.

Du jour au lendemain, tout autour de moi devint américain : le personnel, les uniformes, les drapeaux, tous ces soldats qui ne cessaient de mâcher du chewing-gum. J'avais du mal à supporter ces Amerloques, qu'instinctivement je tenais pour des ennemis. N'étais-je pas allemande, et les Allemands n'avaient-ils pas souffert à cause de ces gens-là ? Pour prendre un exemple concret, mon père n'était pas autorisé à partager avec nous le logement que l'administration militaire nous avait assigné. Il ne s'y faufilait qu'à la dérobée, la nuit venue, pour nous voir tout de même un peu.

Je n'allais jouer, dans les décombres des maisons, qu'avec d'autres enfants allemands, tout aussi maigrichons que moi. Aux petits Américains, je ne parvenais pas à témoigner la moindre affection. J'étais aussi contrariée de devoir porter les couleurs américaines sur mon uniforme d'écolière.

Je ne tardai pas à découvrir qu'il n'était pas bien difficile de déjouer la surveillance de la police militaire et j'en profitai pour dérober des vivres dans les camions. Avec une modeste bande de gosses, j'organisai alors des pillages en règle et dirigeai bientôt une véritable petite armée. Nous entreposions notre butin dans un bunker abandonné, juste derrière le quartier général américain. Ensuite, dans l'Oldenburger Strasse, où nous habitions avec ma mère, je distribuais ces denrées à nos voisins : des boîtes de chocolat aux amandes, des cigarettes Chesterfield, de la margarine, de la fécule, du sucre, du café – tout ce que j'avais pu « trouver ». Et je me sentais heureuse. La vilaine gamine que j'étais menait désormais sa propre guerre. Dans mon bunker, je brûlais les cartons d'emballage pour ne laisser aucune trace. Un jour, cependant, la fumée me trahit et je fus découverte.

Ma mère se montra très fâchée contre moi et décida de m'emmener partout avec elle pour m'empêcher de

26

commettre encore des bêtises. Elle m'accrocha également au cou un sautoir avec nom et adresse, car je m'échappais sans cesse. Dès lors, après mon retour de Bergen-Belsen, ni mes deux frères, Philip et Joachim, ni ma sœur Valérie n'eurent plus beaucoup de rapports avec moi. Valérie, surtout, ne voulait plus avoir affaire à cette « enfant des camps » ; elle ne voulait plus jouer avec moi. Il est vrai que cette expérience m'avait transformée. J'étais devenue farouche, inadaptée. Je dus bientôt quitter, pour mauvaise conduite, l'école de Bremerhaven, réservée aux enfants du personnel américain. Je ne cessais de sauter sur les tables et refusais d'apprendre le français.

J'avais sept ans quand une petite Américaine nommée Patti m'invita à son anniversaire. Son père, le sergent John J. Coyne, portait un chapeau de clown et s'était peinturluré le visage. C'est lui qui s'occupait de nous. A un moment, il nous proposa de jouer à colin-maillard. Il me banda les yeux et me mena à la cave, d'où je n'entendais plus que de très loin les voix des autres enfants. Prise de panique, j'arrachai le bandeau, mais n'en demeurai pas moins dans une obscurité totale. Le père de Patti plaqua alors sa main sur ma bouche et mon nez. Aujourd'hui encore, il m'arrive souvent de me réveiller la nuit avec l'affreuse sensation de ne plus pouvoir respirer. Je luttais dans cette cave avec le sergent Coyne ; je trépignais et gigotais pour trouver un peu d'air, en vain. La boucle de sa ceinture ouverte m'entaillait le dos pendant qu'il me violait. Soudain tout redevint tranquille. J'avais la bouche pleine de sang. Je me rappelle seulement que je parvins à ramper jusqu'à la lumière. Pour rentrer à la maison, il me fallut prendre appui sur les clôtures. Enfin, j'arrivai à me blottir dans les bras de ma mère. Une ambulance de la Croix-Rouge m'emmena à l'hôpital militaire. Je fus bien obligée de revoir le sergent Coyne, devant le tribunal militaire, où je témoignai contre lui. Il reconnut les faits et fut condamné, au total, à quatre-vingt-dix-neuf années de prison, deux autres fillettes ayant subi le même sort que moi.

Bergen-Belsen d'abord, puis ce viol : l'enfer. Jamais plus je ne ferais confiance à aucun être humain, mes parents exceptés. Cependant, ces épreuves me rendirent plus forte, peut-être même assez dure. J'avais compris que, lorsque l'on est sous l'eau, il faut trouver coûte que coûte le moyen de respirer. Et cela, bien plus tôt que les autres. Pourtant, derrière cette façade, je reste fragile. Au fond, je suis restée une petite fille, qui toujours recherche la protection d'hommes solides. J'ai passé ma vie à courir sans but, seulement en quête de moi-même.

Peu après cet affreux épisode, nous allâmes vivre chez mon père, près de la Leher Tor, au sixième étage d'un immeuble où je me sentais en sécurité. Mais on m'envoya aussitôt me reposer à Norderney, une île de la mer du Nord, et l'entrain que j'avais retrouvé disparut à nouveau. Je passai deux années entières sans jamais rire, entièrement repliée sur moi-même. A la suite du viol, on m'avait offert une trottinette. Grâce à elle, je ne cessais de me rendre au phare pour guetter les bateaux. Papa restait mon grand héros, et j'en voulais aux Américains de le traiter comme un « sous-homme ». Ils s'efforçaient de séparer mes parents, parce que maman travaillait pour l'armée américaine et que mon père avait été un espion de la sûreté allemande. En 1946, quand ils divorcèrent, c'est à maman que revint la garde des quatre enfants.

Après-guerre, le premier bateau de papa fut le *Wangerooge*. Quand j'étais autorisée à monter à bord, je devenais son « premier officier ». Tel un véritable marin, je scrutais l'horizon et les vagues de la mer du Nord.

Plus d'une fois, il m'arriva d'éplucher les patates pour l'équipage, de préparer aux hommes des pommes sautées, des boulettes de veau, des œufs sur le plat. Je savais aussi astiquer le navire, me rendre utile de mille façons. Papa était certainement fier de moi, mais il ne pouvait pas chaque fois m'emmener avec lui. C'est pourquoi je décidai de me glisser à bord comme passagère clandestine. Une fois loin des côtes, je jaillissais de ma cachette, affamée et transie. Je demandais alors à voir le capitaine. Peu m'importaient les punitions, l'essentiel était de me trouver auprès de lui. Il ordonna alors aux matelots de fouiller les canots de sauvetage avant le départ, pour vérifier qu'aucune passagère clandestine prénommée Ilona ne s'y trouvait – Papa m'appelait souvent par le prénom de ma jumelle mort-née –, mais je poussai si loin mon art que je parvins à passer à son bord le plus clair de mon adolescence.

Je n'étais plus de nulle part, la haute mer était devenue mon unique demeure. Si je n'entendais pas le grondement des machines, si je ne percevais pas le doux bercement des vagues, il m'était impossible de trouver le sommeil. J'appris là les bases de la navigation, j'écoutais, émerveillée, les récits de mon père, qui parlaient d'îles et de cultures lointaines. La vigie, au sommet du grand mât, était mon poste favori. J'y étais ballottée entre le ciel et la crête des vagues. Jamais je ne devais trouver plus grande liberté.

L'Amérique

En 1950, j'avais dix ans quand maman nous accompagna à bord du *Henry Gibbons*, un transport de troupes de l'armée américaine, sur lequel nous embarquâmes – sans notre père – pour les États-Unis. Je pleurai à chaudes larmes en voyant le phare se faire de plus en plus fluet. Papa, lui aussi, restait là sur le quai à sangloter, tandis que nous partions vers cette Amérique où devait nous attendre une existence meilleure.

Bien que la guerre, puis l'après-guerre, aient détruit leur couple, mon père et ma mère n'en demeurèrent pas moins très liés, à tel point, d'ailleurs, qu'ils se remarièrent peu avant que mon frère Joachim n'épouse, aux États-Unis, une riche héritière. Pour ces noces fastueuses, il convenait que mes parents donnent d'eux-mêmes une image parfaite.

Mes frères et ma sœur ont depuis su mener leur barque. Philip, mon préféré, est devenu un pianiste renommé, malheureusement décédé d'un cancer en 1992. Joe, l'aîné, fut haut responsable du Parti républicain, puis professeur. Ma sœur Valérie, après des études de psychologie, dirige à Baltimore sa propre clinique pour « joueurs compulsifs ». Tous ont réussi aux États-Unis. J'étais, je restais, le vilain petit canard.

Malgré mon jeune âge, j'eus les plus grandes peines à m'acclimater. Papa avait repris la mer et, chaque fois qu'il devait quitter New York, je me postais au ponton 97 de la Norddeutsche Lloyd pour le convaincre de m'emmener avec lui. Maman, au contraire, faisait tout son possible pour que je m'accoutume à ce pays nouveau.

En 1953, nous déménageâmes à Washington, car ma mère venait d'être nommée au Pentagone. J'étais toujours une sauvageonne, mais je portais des tresses et m'efforçais, sans grand succès, de devenir une gentille petite Américaine. Je portais, comme mes camarades de classe, des souliers noir et blanc – un must, à l'époque – et tentais d'obtenir les meilleures notes, dans l'espoir que mes parents, fiers de moi, me laisseraient regagner l'Allemagne.

Nous habitions Monroe Street, une artère plantée d'arbres, dans une superbe maison ancienne entourée d'un jardin. J'adorais les arbustes et les fleurs, que j'entretenais avec soin. Je n'en restais pas moins différente des autres enfants. J'écoutais Beethoven et Mozart, je lisais. Eux ne parlaient que de rock'n'roll et ne partageaient en rien mes goûts.

Un matin, en arrivant à la MacFarland Junior Highschool, j'aperçus un groupe de femmes, des Blanches, qui se tenaient devant l'école. Elles brandissaient des pancartes et criaient à tue-tête. A un bloc de là, un groupe de Noirs observait le spectacle en silence. Ne comprenant pas cette agitation, je me faufilai entre les deux groupes et pénétrai dans le bâtiment par une porte latérale. A ma grande surprise, il n'y avait personne dans les locaux. Dans la salle de classe, cependant, je trouvai mon institutrice, Marie Irving, seule derrière son bureau. C'était une femme adorable, chaleureuse, que j'admirais beaucoup. Jamais, jusque-là, je n'avais prêté la moindre attention au fait qu'elle était noire. Ni que, dans ma classe, j'avais pour seule amie Angela, la fille d'un médecin indien.

« Mon Dieu, que fais-tu là ? », s'exclama-t-elle. « L'école est en grève. Tu ferais mieux de partir tout de suite, sinon les gens qui hurlent dehors risquent de s'en prendre à toi ! » Elle m'expliqua ensuite la raison de cette grève organisée par les Blancs : ils ne voulaient pas que leurs enfants soient mêlés à des Noirs. Confuse, abasourdie, je ne savais que faire. Les cris des manifestants se rapprochaient et je distinguais maintenant leurs vociférations racistes. Plusieurs adolescents blancs, armés de gourdins, envahirent alors la pièce. Ils se jetèrent sur moi et je crus que mon cœur allait flancher, tant ils me firent peur. Je reculai vivement, mais ils m'abreuvèrent d'obscénités et me frappèrent jusqu'au sang, me blessant aux bras et au visage. Pour me défendre, je m'emparai du drapeau américain, dressé près du pupitre, et l'agitai en tous sens, prise d'une fureur dont je ne me serais jamais cru capable. Je hurlai à mon tour contre mes agresseurs et me ruai sur eux. Ces brutes renversèrent encore quelques tables puis battirent en retraite, tout en criant : « Dehors les Nègres ! » J'aidai ensuite mon institutrice à se relever puis, après nous être embrassées, Mme Irving et moi allâmes nous laver. J'avais une dent cassée, une lèvre fendue et tuméfiée.

Encore sous le choc, je rentrai à la maison. Curieusement, personne ne parut remarquer mon état. Je me sentais perdue, presque fautive, certaine en tout cas que je ne retournerais jamais dans cette école. Cela avait-il un rapport avec le fait d'être allemande ? D'un coup, le passé me revint en mémoire : la guerre, la clinique pour enfants de Drangstedt, Bergen-Belsen...

Avant de m'endormir, je perçus distinctement une image qui devait m'accompagner tout au long de ma vie : je courais rejoindre le bateau de papa, le *Wangerooge*.

Dès le lendemain, pour m'éviter d'avoir à retourner à l'école, ma mère m'emmena avec elle à son bureau du Pentagone, où je croisai certains responsables des services secrets. Pendant qu'elle travaillait, je fouillai un peu partout. A la fin de cet été, chaud et humide, je reçus mon avis de renvoi de la MacFarland Junior Highschool. Maman chercha à m'inscrire dans un autre établissement. Mais celui-ci me refusa : j'étais déjà cataloguée...

Passagère clandestine

Je me sentais si malheureuse à Washington que je suppliais ma mère de me renvoyer en Allemagne, ou de me laisser prendre la mer. Elle ne savait plus que faire de moi. De plus, devant partir en mission à Addis-Abeba, elle ne pouvait me laisser seule à la maison, et mon frère Joachim, alors élève officier, n'était pas non plus en mesure de s'occuper de moi. J'en vins à adresser à mon père une lettre, où je le conjurais de m'accepter à son bord.

Dès qu'il regagna un port américain – il était alors capitaine du *Liechtenstein*, je le rejoignis. Parvenue à Bremerhaven, je vécus toute seule dans notre appartement, près de la Leher Tor, m'occupant du ménage et suivant des cours d'espagnol chez Berlitz. Pourtant, là aussi, je me sentais très seule. Dès que mon père reprit la mer, je me glissai clandestinement à bord du *Liechtenstein* et me cachai dans la salle des machines. J'attendis que le bateau soit en pleine mer du Nord pour gagner la salle d'équipage. Je grelottais de froid. Je lançai alors un « salut ! », de l'air le plus naturel qui soit. Les matelots s'écrièrent, fronçant les sourcils : « Mais enfin, Ilona, d'où sors-tu ? Ton père sait que tu es là ? » Je leur demandai de ne pas me trahir, leur proposant en échange d'aider à la cuisine et au ménage. La nuit, je dormirais dans un canot de sauvetage. Ils me procurèrent alors un chandail, un bonnet de fourrure et une paire de bottes. Tout au long du repas, ils se demandèrent comment apprendre la nouvelle à papa. Ils me dirent, pour plaisanter, que le capitaine allait probablement me faire « passer par les cales » pour me punir. Ce qui signifiait se faire jeter par-dessus bord puis tirer, accroché à un filin.

Au sortir de table, il fallut bien que je monte au poste de commandement. Papa s'y trouvait quand j'y pénétrai et, bravement, je déclarai : « Mon capitaine, je viens vous présenter mes respects. » Il ne me reconnut pas tout de suite, car, ainsi habillée, j'avais l'aspect d'un jeune mousse, mes tresses étant de surcroît dissimulées sous le bonnet de fourrure. Enfin, il s'écria : « Mais, grand Dieu, ça ne va pas du tout ! » Avant qu'il n'ajoute un mot, je lançai : « Il faut que je redescende éplucher les patates », puis je tournai les talons et sortis à grands pas.

Papa s'accommoda bien vite de sa passagère clandestine. Je dormais sur le canapé de sa propre cabine. Je n'aurais pu être plus heureuse. A sa seule objection – « Et qu'est-ce je vais dire à l'armateur ? » –, je me contentais de répondre : « Rien du tout, mon capitaine. »

A notre retour en Allemagne, papa m'envoya chez son frère, Fritz, à Bad Münster am Stein. Je passai là un mois à apprendre la cuisine, au restaurant Haus Lorenz. Mais je me languissais de la vie en mer. Je ne cessais de pleurer et de réclamer que mon père me reprenne à son bord. Tout ce que je voulais, c'était lever l'ancre, peu m'importait la destination. Dès lors je travaillai d'arrache-pied, pour bien prouver que je pouvais me rendre utile sur un bateau.

Après cette période, vint le plus beau des moments. J'étais de nouveau à bord et papa m'expliquait les courants, les étoiles, les climats, me parlait des pays où nous irions. Lui-même se sentait un peu solitaire et, au fond, plutôt heureux d'avoir un proche à ses côtés. Il était à la fois mon instructeur et mon meilleur ami. Il répétait sans cesse : « Quand tu n'iras plus à l'école, je te ferai connaître le monde. » Il ne semblait d'ailleurs pas accorder à mes études une grande importance, puisque j'étais évidemment destinée à épouser un jeune homme de bonne famille. Le soir, je m'asseyais avec les matelots pour jouer aux cartes, et j'écoutais avidement leurs aventures de guerre.

Après le *Liechtenstein*, papa commanda d'abord le *Gripsholm* puis le *Berlin*, premier paquebot de croisière allemand d'après-guerre, qui desservait l'Amérique du Nord et, pendant l'hiver, croisait dans les Caraïbes. Un jour, le *Berlin* mouilla devant les îles San Blas. Des Indiens, venus en pirogue, montèrent sur notre bateau pour proposer aux touristes des fruits exotiques et des objets d'artisanat. Sans trop réfléchir, je troquai à une Indienne son bébé contre ma montre-bracelet. J'étais bel et bien convaincue d'avoir « acquis » cette petite fille adorable, toute brune, toute ronde, toute nue, aussi la dissimulai-je sur le *Berlin*. Mais, au moment de repartir, un officier s'en rendit compte et alerta le capitaine. Papa fit stopper les machines et je dus restituer l'enfant à sa mère, en larmes, désespérée d'avoir ainsi cédé son bébé.

Une autre fois, un officier de garde me provoqua alors que nous étions en rade de Haïti : « Sûr que tu n'auras pas assez de cran pour sauter du pont ! » Il n'eut pas le temps de tourner la tête que, déjà, je m'étais élancée, malgré ma grande crainte des requins. A peine avais-je sauté que je compris mon erreur. Mais il était trop tard. De cette hauteur – près de cinq étages ! –, le choc avec l'eau fut douloureux, et bruyant. J'eus l'impression que ma tête implosait. Je perdis connaissance. Dieu merci, quelques matelots m'aperçurent et me repêchèrent.

Je savais aussi me montrer tout autre : assise près de mon père, à la table du capitaine, élégamment vêtue d'une robe du soir, je pouvais converser avec de riches et célèbres passagers. Lisant beaucoup, j'étais plutôt cultivée – du reste papa n'aurait pas voulu d'une « godiche » à sa table. Je me souviens de certains convives fort aimables et intéressants : Willy Brandt, le prince Louis-Ferdinand de Prusse ou encore le président Theodor Heuss, auquel je dois d'avoir appris à jouer aux échecs. C'est également en sa compagnie que je bus mon tout premier verre de vin rouge.

1958 annonça la fin de mes aventures maritimes. Mes parents avaient décidé qu'il me fallait reprendre mes études. Ils avaient choisi pour moi l'École de commerce de New York. Jamais je n'avais imaginé perspective aussi atroce...

2

LA REINE DE CUBA :
MON AMOUR AVEC FIDEL

En février 1959, le *Berlin* effectua son ultime croisière dans les Caraïbes. J'étais montée à bord à New York, mais la plupart des passagers venaient de Boston. On les sentait nerveux et inquiets. A Cuba, en effet, le régime du dictateur Fulgencio Batista, soutenu par les États-Unis, venait d'être renversé.

Nous arrivâmes le 27 en baie de La Havane. Notre paquebot devait repartir le soir même. Après une courte promenade à terre, j'étais remontée à bord et contemplais la côte depuis le pont. Au loin, sur l'eau turquoise qui moutonnait doucement, j'aperçus deux grandes chaloupes qui se dirigeaient vers le *Berlin*. Vingt-cinq à trente soldats, debout dans leurs embarcations, causaient entre eux tout en désignant notre navire. Ils portaient des fusils à l'épaule.

Deux de nos officiers, postés sur le roof, tentèrent en vain, par de grands gestes, de repousser cette patrouille armée. Papa était en train de faire sa sieste, de laquelle il ne fallait le déranger sous aucun prétexte, aussi décidai-je de prendre l'affaire en main. Pour attirer leur attention, je lançai un retentissant coup de sifflet à roulette. Je surpris à ce point le plus grand des soldats, manifestement leur chef, qu'il en perdit l'équilibre. Son fusil glissa de son épaule et un coup de feu partit. La chaloupe s'immobilisa, tandis qu'il me regardait. Nos regards se croisèrent une seconde, puis sa casquette tomba à l'eau. Il se cramponna alors à la rambarde du pont inférieur du *Berlin*.

Voyant dans quelle position je l'avais mis, je ne pus m'empêcher d'éclater de rire. Je lui criai en espagnol : « Attendez un instant », et à nos officiers je dis : « Je m'en occupe. » Ceux-ci me dévisagèrent, stupéfaits. L'un d'eux observa : « Et le capitaine ? » Je lui coupai la parole : « Nous repartons ce soir. Il n'est pas question de le réveiller maintenant. Ne vous inquiétez pas, empêchez seulement les passagers de venir par ici. »

Quand le grand barbu se hissa sur le pont, je me dirigeai vers lui. Dans un anglais déplorable, il m'expliqua : « *My name is Dr Castro, Fidel... Please... I am Cuba. I please come to visit your great ship, I am Cuba! You is aleman?* » Je lui répondis en espagnol. « Oui, effectivement. Je m'appelle Ilona Marita Lorenz. Je représente le commandant de bord. Vous êtes en territoire allemand et ceci est inutile », dis-je, pour conclure, en désignant son arme du doigt.

Il baissa légèrement le regard vers son fusil et afficha une mine contrite. Pour briser la glace, j'ajoutai : « Vous n'en avez vraiment pas besoin, puisque vous êtes en territoire allemand. » Fidel sourit et me répondit : « Mais toi, tu es dans mes eaux territoriales. »

Il me tendit alors son fusil et j'entendis au-dessus de moi quelques passagers applaudir, ce que je ressentis comme extrêmement déplaisant. Quand tous ses hommes furent montés à bord, il me demanda : « Et... maintenant, pouvons-nous visiter le bateau ? » « Maintenant, vous allez aussi enlever ça », répondis-je en montrant le calibre 45 qu'il portait à la ceinture. « Et tous les autres vont eux aussi déposer leurs armes ici, sur le pont. »

Il ordonna à ses hommes de s'exécuter, mais n'en conserva pas moins son revolver. Fidel voulut alors voir le capitaine, mais je lui répondis qu'il n'était pas disponible pour le moment : « Jusqu'à 15 heures, c'est moi qui occupe ses fonctions. » Son regard incrédule m'emplit d'un sentiment d'assurance que je n'avais encore jamais ressenti. En même temps, son extraordinaire présence me troublait – son regard, son sourire, son physique attirant.

« Nous allons commencer la visite par le bas, par la salle des machines », et tous me suivirent en colonne. C'est Fritzchen, mon petit chouchou, qui officiait ce jour-là dans l'ascenseur. Il nous considéra avec stupeur et, pour plaisanter, je lâchai d'un ton impérieux : « A la salle des machines, tout de suite ! » Fritzchen avait quinze ans, c'était mon camarade de jeu. La nuit, par exemple, nous nous amusions à intervertir les chaussures que les passagers laissaient devant leur porte pour la femme de service.

Fidel et sept de ses « barbus » se serrèrent avec moi dans l'ascenseur. La barbe de Fidel et son haleine me picotaient les narines. D'un air protecteur, il passa sa main autour de mes hanches. Quand l'ascenseur s'arrêta brutalement, je fus plaquée contre lui. Il me retint dans ses bras et m'attira vers lui. A dix-neuf ans, je n'avais encore jamais embrassé personne et jamais non plus je n'avais eu de petit ami. D'où me venait soudain ce désir de l'enlacer, de l'embrasser ? Qu'est-ce qui m'arrivait donc ?

Dans la salle des machines, Fidel admira la technologie allemande. Ensuite, loin de l'affreux vacarme des machines, je leur proposai d'aller boire une bière bien fraîche. J'avais déjà tout pensé et attendais fébrilement le moment où je serais enfin seule avec Fidel, débarrassée de cette escorte. Il ne me restait que quarante minutes avant que papa ne réapparaisse.

Je les conduisis jusqu'à l'Alligator-Bar. Des chandelles éclairaient les tables et les enceintes diffusaient de paisibles mambos. Au grand effroi des touristes américains, les hommes de Fidel prirent place, muets d'étonnement devant ce luxe qu'ils ne soupçonnaient pas. Je commandai des Beck's pour tout le monde. Dès la première gorgée, Fidel s'exclama : « *It's good. Everything in Alemania is good.* » Hans, le serveur, me demanda courtoisement ce que moi-même je souhaitais boire. Comme une adulte, je répondis tranquillement : « Un cuba-libre, mais pas un mot à papa... » Les « barbus » sourirent enfin, ravis de mon choix.

Soudain, je sentis, sous la table, la main gauche de Fidel se poser sur la mienne. Lui aussi souriait, même s'il gardait un air sérieux. Il resserra sa pression et je sentis mon ventre frémir. Il me parla ensuite de « son » tout nouveau Cuba, puis me posa des questions sur notre paquebot – longueur, tonnage, puissance des machines... « Tu es une fille très intelligente, observat-il, mais à cause de toi j'ai bien failli tomber à l'eau. » « Tu sais sûrement nager ! », lui répondis-je.

Entre-temps, plusieurs de nos officiers avaient fait leur apparition et observaient ce groupe insolite. Cela me fournit le meilleur des prétextes pour regagner ma cabine, où je dénouai mes tresses et choisis une robe.

Papa et Fidel

Quand je retournai auprès de nos visiteurs, j'espérais qu'après sa sieste mon père se montrerait de bonne humeur. A peine sorti de ses appartements, il tomba sur Fidel, puis, m'apercevant, il glapit : « Ilona, c'est quoi, cette histoire ? » Je m'empressai de lui expliquer : « Lui, c'est Fidel. C'est Cuba. Il souhaitait visiter notre bateau. » Joyeux comme un gosse, agitant son pistolet au-dessus de sa tête, Fidel s'exclama : « Capitaine, ce bateau est magnifique. » Il y eut quelques secondes de tension. Papa était indigné de voir ce pistolet, aussi demandai-je à Fidel : « Cette fois, tu vas me donner ce fichu machin ! »

Papa invita alors le Cubain dans sa cabine et tous deux entamèrent une longue et intense discussion politique. Chaque fois que j'entrais dans la pièce, Fidel me fixait du regard, à l'évident déplaisir de papa. Au cours de cette conversation, je pus entendre Fidel déclarer : « Je ne suis pas un politicien », pour finalement reconnaître sans ambages qu'il ne savait pas au juste comment diriger son pays. Ils causèrent ainsi, quatre heures durant. Il fut question des relations germano-cubaines, du commerce, du tourisme. Papa lui fit une telle impression que Fidel le nomma conseiller spécial au tourisme. Mon père, conseiller spécial des révolutionnaires cubains ! Pour ma part, je ne cessais d'observer cet homme – sa peau blanche, ses boucles noires, son regard aigu, le crucifix doré qu'il portait au cou.

A un certain moment, le steward interrompit leur conversation pour indiquer à papa que Mme E. Taylor souhaitait le rencontrer. Mon père soupira, moi je ris sous cape. Cette riche veuve d'âge moyen, plutôt casse-pieds, à tout jamais amoureuse de mon père, le poursuivait sur toutes les mers du globe. Papa me fit discrètement signe de gagner le pont pour éconduire cette personne. Celle-ci n'avait jamais pu me supporter et je lui fis rapidement comprendre ce que j'avais à lui dire : le capitaine était occupé par un entretien secret de la plus haute importance, on ne pouvait le déranger. J'acceptai de remettre à mon père le bouquet de roses qu'elle lui apportait et retournai dans la cabine. Fidel disait à mon père : « Eh bien quoi, elle vous aime... » Et papa de répondre : « Je m'en passerais bien. » Sur quoi, ils éclatèrent de rire. Le photographe de bord arriva alors et prit de très nombreux clichés. Fidel porta un toast au *Berlin*, à papa et à Cuba. Puis, ils reprirent leur conversation. Face à l'insistante interrogation de mon père, Castro démentit tout lien avec le communisme. Sa Révolution était purement « humanitaire ». Même le « grand frère » de Washington l'avait fort bien compris qui, dans les montagnes de la sierra Maestra, lui avait fait parvenir de l'argent et des armes.

A 18 heures exactement, papa mit le point final à cette longue conversation. Il invita la délégation cubaine à dîner, en première classe. Le commandant Fidel Castro fut placé entre papa et moi. On nous servit un superbe repas, que Fidel engloutit d'un excellent appétit. Avant même le dessert, il écrivit sur une serviette : « A Marita, mon Alemanita. Pour toujours, Fidel, 27 février 1959. » Il plia cette serviette et me la fit passer sous la table. J'espérais que papa ne remarquerait pas que nous nous tenions la main, que nos pieds se frôlaient tendrement.

Comme la nuit tombait, papa s'excusa. Il devait gagner le pont pour préparer les manœuvres d'appareillage. Avant qu'il ne se lève de table, Fidel lui demanda la permission que je reste avec lui à Cuba, où il aurait des travaux à me confier, notamment la rédaction de son courrier en anglais. Papa se montra contrarié par cette requête, mais Fidel insista. Il affirma qu'il se porterait garant de ma sécurité, qu'il affecterait un officier à cette tâche. Je deviendrais en quelque sorte sa secrétaire particulière. Papa répondit, diplomate : « Je vous remercie de cette amicale proposition. Mais c'est malheureusement impossible, Ilona doit retourner à New York poursuivre ses études. »

Il en allait ainsi : mes parents entendaient qu'enfin je cesse mes vagabondages. C'était compter sans Fidel...

Coup de foudre

Quand papa eut quitté la table, j'eus avec Fidel une conversation au cours de laquelle il put vérifier que je me défendais assez bien en espagnol et que j'avais derrière moi plusieurs années de navigation. Grâce à mes voyages précédents, je connaissais aussi fort bien Cuba et pus comprendre ses projets. Son pays était, selon lui, pourri. Il n'y existait pas de classe moyenne, uniquement des riches et des pauvres. D'un côté, des requins blancs qui, en cheville avec les compagnies multinationales – Rockefeller, United Fruit Company... –, tiraient l'essentiel de leurs revenus du jeu, de la prostitution ou du blanchiment d'argent. De l'autre, une cohorte de miséreux : les gens de la rue, prêts à tout pour trouver de l'argent – y compris à se vendre eux-mêmes.

Tout cela me paraissait extrêmement injuste. Certes, j'avais le privilège de pouvoir repartir sur mon grand bateau blanc. Mais j'emporterais partout avec moi un sentiment de culpabilité. C'est à tout cela que je pensais en sortant avec Fidel sur le pont plongé dans la pénombre malgré les guirlandes d'ampoules multicolores du *Berlin*. Une douce brise tropicale soufflait, la clameur des mouettes le disputait aux airs de rumba, l'air embaumait le jasmin.

Fidel me tenait la main et moi, prise d'une bien fragile audace, je l'entraînai entre les canots de sauvetage numéros six et sept, sous prétexte de contempler le magnifique alignement des immeubles de La Havane. Deux de ses hommes se trouvaient non loin de nous, mais il faisait sombre. Enfin je me trouvais seule avec lui. Nous nous enlaçâmes, il prit mon visage entre ses mains et m'embrassa, puis il me dit : « *Te quiero, mi cielo.* » J'étais toute fébrile. Il me demanda ensuite : « Reste avec moi. »

« Oh, Fidel, soupirai-je avec tristesse, c'est impossible, nous levons l'ancre dans deux heures. » A quoi, il rétorqua : « Eh bien, justement, tu viens à terre avec nous et tu travailleras pour moi. » Il tendit le bras vers les lumières de la côte et ajouta : « Tout cela est à moi. Cuba, c'est moi ; tu seras la reine de Cuba. »

Aujourd'hui encore, je garde en mémoire chacun de ses mots. Je ressentis alors une émotion intense, un furieux désir de rester à ses côtés. Pour mon malheur, ce sentiment n'allait jamais disparaître, qui m'obsédera jusqu'à ma mort.

Nous échangeâmes nos numéros de téléphone, puis il alla prendre congé de papa. Avant que nous ne levions l'ancre, Fidel fit livrer, à mon intention, dix énormes pots d'une délectable glace cubaine à la noix de coco.

Quand le *Berlin* eut repris sa route vers le nord-est, j'allai souhaiter bonne nuit à papa, puis filai m'enfermer dans ma cabine. J'encerclai de rouge, sur mon calendrier, cette date cruciale : 27 février 1959, avec ce commentaire : jour J.

Dans notre appartement de la 87e Rue, à New York, je tentai de me réadapter à la vie quotidienne. Je me sentais comme orpheline. Ma mère se trouvait alors à Heidelberg, pour les services américains, chargée d'une mission si clandestine que nous n'avions pas même le droit de lui téléphoner. Elle me manquait beaucoup. Il faisait froid et la solitude me pesait. Pour passer le temps, je me plongeai dans les livres, jouai du piano, étudiai des cartes géographiques, lus et relus un article de Herbert L. Mathews, publié dans le *New York Times* sous le titre : « Le Cuba de Castro ».

Dès le second jour, le téléphone sonna. Était-ce Fidel ? Oui. Je reconnus immédiatement sa voix :

« Marita ? Mi Alemana ? »

— Oh Fidel, tu ne m'as pas oubliée ?

— Non. Tu me manques. Tu reviens ?

— Je ne sais pas.

— Juste pour une semaine, d'accord ? »

Sans me laisser le temps de répondre, il ajouta : « Très bien, je t'envoie un avion. »

J'étais si bouleversée que j'oubliai de lui demander quand. Mais, comme je m'en apercevrais bien vite, le mot « quand » était étranger à son vocabulaire. Dès le lendemain, trois de ses lieutenants sonnèrent à ma porte. L'avion m'attendait déjà à l'aéroport d'Idelwild, l'actuel aéroport JFK.

J'avais mis mes plus belles affaires, et c'est une vraie lady qui s'envola pour La Havane, même si, au fond de moi, j'étais sous le choc : subjuguée, désorientée, heureuse. Mon escorte me traita comme une reine. Ils me donnèrent à lire un exemplaire de *Bohemia*, un journal dont la couverture s'ornait d'une photo de Fidel.

Je restais perplexe : pourquoi m'avait-il choisie, lui qui pouvait avoir toutes les femmes à ses pieds ? A l'aéroport José Martí m'attendaient vingt hommes en uniforme.

La suite 2406

On m'accompagna au vingt-quatrième étage du Habana Libre, qui fourmillait d'hommes en armes. Au fond du couloir se trouvait le quartier général de Fidel. Je me sentais gênée d'être ouvertement dévisagée par une bonne cinquantaine de personnes, et ce fut une délivrance quand l'aide de camp personnel de Fidel, Jesús Yáñez Pelletier, me fit entrer dans la suite 2406, où je fus assaillie par un épais brouillard de fumée de cigare.

J'aperçus, dans une armoire ouverte, des uniformes officiels, rangés sous housses de plastique, quatre paires de bottes, des casquettes. Par terre gisaient des lettres, des papiers, des disques, de l'argent et des petits blindés pour enfants. Fidel est toujours resté un grand gamin et, aujourd'hui encore, il aime jouer avec des modèles réduits de voitures ou de chars d'assaut. Pelletier me pria d'excuser ce désordre, puis me dit : « S'il vous plaît, veuillez attendre dans cette pièce, le président du Conseil sera là dans un instant. »

Une bonne heure plus tard, Fidel arriva enfin et me prit dans ses bras. « *Alemanita mía* », s'écria-t-il en me soulevant de terre. Dans ses bras, je me sentis merveilleusement protégée. Main dans la main, nous tirâmes les rideaux, il posa son revolver sur la liseuse et mit son disque favori, une musique romantique : Piano Mágico. Nos deux corps s'entrelacèrent dans une harmonie parfaite.

Quelque cinq heures plus tard, on frappa énergiquement à la porte. C'était Raúl Castro, le frère de Fidel, qui jugeait que le rôle du commandant était de s'occuper des affaires de l'État. Fidel me dit en partant : « Ne sors pas de cette chambre, attends-moi ici, je n'en ai pas pour longtemps. Je t'aime. »

Ainsi se déroula la première journée. Le lendemain, j'entrai dans mon rôle de secrétaire particulière et commençai par trier sa correspondance, non sans me sentir irritée par certaines lettres féminines trop enthousiastes. Ensuite, je me fis belle. Après quoi, j'attendis et attendis encore. Et c'est ainsi que les choses allaient se passer le plus souvent, pendant les neuf mois qui suivront. J'entrepris alors d'améliorer mon espagnol, j'effectuais des traductions – je devais par la suite traduire le livre que Fidel avait écrit en prison, « L'Histoire m'absoudra » – et j'attendais. Amour et souffrance. Je vivais dans une cage dorée mais, dans le hall de l'hôtel, et partout où se rendait mon amoureux, musardaient des douzaines de femmes du monde entier qui n'avaient d'yeux que pour lui.

Ava Gardner

Je savais qu'Ava Gardner, la grande star d'Hollywood, tournait elle aussi autour de Fidel. J'avais intercepté quelques-unes des lettres d'amour qu'elle lui avait écrites. Je ne cessais de questionner Camilo Cienfuegos et Celia Sánchez, la secrétaire de Fidel, sur son emploi du temps. Leur réponse ne variait jamais : « Il a beaucoup de choses à faire. »

Camilo sut deviner ma solitude. Un jour, il me posa la main sur l'épaule et je fondis en larmes : « Dis-moi, je t'en supplie, si j'ai déjà été remplacée par une autre femme. » Camilo me consola : « Rassure-toi, Alemana, il n'a pas d'autre femme que toi. » Celia, elle, me regardait toujours d'un œil mauvais, désapprobateur. Je me sentais prise au piège.

Un matin, je descendis dans le hall de l'hôtel – escortée par les quatre gardes chargés de ma surveillance. Comme à chaque fois, je fus surprise de voir tout ce monde qui se pressait là : des douzaines de personnes qui demandaient à rencontrer Fidel, parmi lesquelles une équipe américaine de base-ball, des reporters, des femmes, des chasseurs d'autographes... Je fus bientôt oppressée par tous ceux qui vinrent m'entourer : « Señora, señora, s'il vous plaît, remettez-lui ceci ! » Et on tentait de me mettre dans les mains toutes sortes de papiers, on me bousculait... Je pris peur et battis en retraite jusqu'à l'ascenseur. C'est alors qu'une femme – visiblement ivre – se glissa entre mes gardes et moi, s'agrippa au bras d'un des soldats et appuya en même temps sur tous les boutons de l'ascenseur. Puis elle me dévisagea : « C'est donc toi, la bestiole qu'il enferme là-haut ! » Avant même de comprendre ce qui se passait, je reçus une gifle. Et je l'entendis, qui criait : « Je suis Ava Gardner, espèce de souillon ! » Après cet absurde éclat, Fidel accorda à la comédienne alcoolique un « prix de consolation » : il l'envoya, en compagnie de son aide de camp, Jesús Yanes Pelletier, à l'hôtel Nacional – bons baisers de Cuba... Fidel et moi rîmes beaucoup de ce dénouement.

Le commandant avait bien conscience de mon insatisfaction. Par une nuit du mois de mars, à l'issue d'une de ses interminables réunions – il pouvait être quatre heures du matin –, il vint m'apporter un bouquet d'orchidées. C'était une marque d'amour. Mais j'étais si folle de jalousie que je lui fis une scène et menaçai de le quitter. Pour toute réponse, il me lança un baiser puis me dressa une sorte de couronne avec les fleurs. D'un ton solennel, il déclara : « Maintenant, nous allons nous marier. Acceptes-tu, ma petite Allemande, d'épouser Fidel Castro ? » Il sécha mes larmes, puis demanda à nouveau : « Tu veux bien ? » Je répondis : « Oui, Fidel Castro, je t'épouse, et pour toujours. » Une semaine plus tard, il m'offrit une bague en or de dix-huit carats pour sceller notre « union ». Je me sentis aller mieux.

Le meilleur tailleur de La Havane me confectionna un uniforme d'apparat aux couleurs du Mouvement du 26 juillet[1]. J'étais désormais une vraie Cubaine. Pourtant, en dehors de l'hôtel, j'ignorais tout de ce qui se passait dans le pays. Heureusement, les proches de Fidel m'avaient acceptée : Che Guevara, Camilo Cienfuegos, Ramiro Valdés et même Celia Sánchez, sa confidente et secrétaire, qui lui était inconditionnellement dévouée. Malgré d'épisodiques échanges aigres-doux, si caractéristiques de la concurrence féminine, j'avais fini par très

---

1. Symbole de la dictature de Batista, la caserne Moncada avait été attaquée – sans succès – le 26 juillet 1953 par un commando de jeunes révolutionnaires ayant Fidel Castro pour chef.

bien m'entendre avec elle. Elle avait admis ma présence qui, finalement, lui permettait d'exercer un certain contrôle sur la vie amoureuse de Fidel.

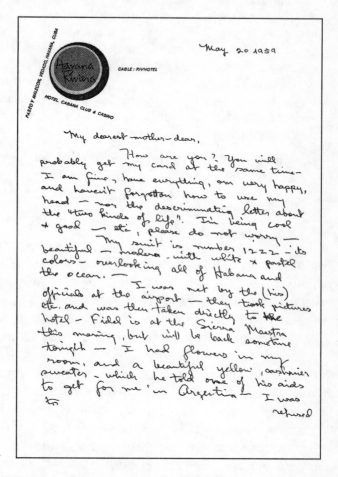

J'étais une prisonnière de l'amour. Mais jamais je ne fus retenue à Cuba contre mon gré, comme devait plus tard le prétendre ma mère, sur ordre de la CIA. Je lui avais écrit plusieurs fois pour la rassurer. Je possède d'ailleurs encore une de ces lettres, que je retrouvai parmi ses propres papiers, en 1978, lorsqu'elle décéda.

Le 20 mai 1959, déjà enceinte, je lui écrivais (voir la lettre en page précédente) :

> « Ma très chère maman,
>
> [...] Je vais bien, j'ai tout ce qu'il me faut, je suis heureuse et crois bien que j'ai gardé toute ma tête. Tu peux me faire confiance. Ne te fais aucun souci. Fidel est parti ce matin pour la sierra Maestra, mais il sera de retour dans la soirée.
>
> J'ai trouvé dans ma chambre des fleurs et aussi un superbe chandail de cachemire, qu'il m'a fait envoyer d'Argentine par un de ses camarades. »

Depuis mes « noces » improvisées avec Fidel, je me sentais rassurée, et ravie aussi de sentir mon ventre qui, depuis quelques semaines, grossissait peu à peu.

Jesús Yáñez Pelletier

Des hommes qui étaient montés le 27 février 1959, avec Fidel Castro, à bord du Berlin, *presque tous sont aujourd'hui décédés; certains de mort naturelle, d'autres dévorés par leur mère : la révolution. Cependant, quand en 1999 je me mets en quête, à La Havane, de témoins présents sur le paquebot, je retrouve un survivant, Jesús Yáñez Pelletier, devenu après le triomphe de la révolution l'aide de camp de Fidel, et son confident.*

Quarante ans se sont écoulés depuis et chercher à le rencontrer s'avère aujourd'hui une entreprise risquée. En effet, le frère d'armes des jours heureux est devenu un ennemi aux yeux de l'État cubain. Vice-président du chétif « Mouvement pour les droits de l'Homme », il vit à La Havane, surveillé et isolé. Son « crime » : s'être montré hostile à l'alliance de Fidel avec le Parti communiste cubain. Dès 1960, il fut jugé pour ce motif et condamné à trente ans de détention. Mais, comme il avait sauvé la vie de Fidel Castro sous la dictature de Batista, durant laquelle il dirigeait la prison de l'île des Pins, sa peine fut réduite de moitié. Aujourd'hui encore, Pelletier est régulièrement arrêté par la Sûreté de l'État, lorsque celle-ci redoute qu'il ne propage des informations « contre-révolutionnaires ». La plupart des journalistes étrangers l'évitent, car pareil contact pourrait leur valoir une expulsion immédiate.

C'est en mai 1999 que je rencontre, avec des précautions de conspirateur, Jesús Yáñez Pelletier dans le très fréquenté Parque Central. C'est un mulâtre de haute taille, âgé maintenant de quatre-vingt-trois ans, à la voix sereine et chaleureuse. Il possède des traits alertes et des dents d'une éclatante blancheur, que l'on ne peut manquer de remarquer, car il rit volontiers.

En apprenant ce qu'il est advenu de Marita, des larmes lui montent aux yeux. Très ému, il me confirme qu'il a gardé d'elle un très vif souvenir : « Une fille clair-voyante et belle. Nous l'aimions tous beaucoup. C'était la période romantique de la révolution. Nous voyions le monde entier à nos pieds. »

A bord du Berlin, il avait tout de suite perçu l'éblouissement de Marita. Et de commenter : « Cela arrive souvent aux hommes, mais surtout aux militaires. La plus sage des femmes ne résiste pas à un homme en uniforme. » Chacun avait remarqué, aux regards qu'ils se lançaient, l'attirance mutuelle entre Marita et Fidel. Elle le contemplait avec « admiration » et lui avec « convoitise ». Il n'avait cependant pas imaginé que Fidel s'enticherait de la jeune fille, car il était généralement porté sur les femmes au teint mat. Marita n'en avait pas moins subjugué le commandant. Il la lui fallait absolument. « Elle était belle, cultivée, tout le contraire d'une écervelée. »

Quand le Berlin eut quitté la baie de La Havane, Fidel ne songea plus qu'à faire revenir Marita. Yáñez Pelletier fut personnellement chargé de l'accueillir à l'aéroport,

51

pour l'emmener au Habana Libre, siège provisoire du gouvernement révolutionnaire. Marita avait donc vécu au « centre du pouvoir », où elle pouvait rencontrer Fidel autant qu'elle le souhaitait, quand, bien entendu, lui-même en avait le temps. Pour l'un comme pour l'autre, c'était véritablement l'idylle.

En rapportant à Yáñez Pelletier que Fidel avait voulu faire de Marita « la reine de Cuba », je suscite son hilarité : « Une belle idée… Mais Marita n'était pas la seule candidate à cet honneur. Cela dit, Fidel aurait effectivement pu, à l'époque, se le permettre. Cuba, c'était lui. Il avait 90 % de la population derrière lui, les opposants étaient rarissimes… Aujourd'hui, c'est le contraire. »

Pelletier se souvient avoir lui-même mis Fidel en garde contre Marita. Elle pouvait fort bien être un agent secret. Il précise : « Les autres militaires responsables de sa sécurité partageaient mon avis. Avec la meilleure volonté du monde, nous n'arrivions en effet pas à comprendre qu'elle puisse demeurer auprès de Fidel par simple attirance. » Fidel avait purement et simplement refusé d'écouter ces avertissements : « Tout ce que nous pouvions lui dire le laissait indifférent. »

Vers l'été 1959, Castro avait peu à peu délaissé son Alemanita, mais il ne voulait pas qu'elle le quitte. « Quand elle le menaçait de repartir, Fidel me chargeait de l'accompagner sur la plage de Varadero », se rappelle encore Pelletier. Ainsi est même née la rumeur selon laquelle Marita et lui-même, Yáñez, avaient une liaison, dont l'enfant qu'elle attendait était le fruit. « La Havane pullulait alors de rumeurs. Elle était la chérie de Fidel, donc intouchable pour tout autre. D'homme à homme, j'expliquais à chacun que je n'avais jamais eu de relation amoureuse avec elle. Tant d'années ont passé que je n'en parle plus à personne, mais il n'y a pas le moindre doute : l'enfant qu'elle portait était bel et bien de Fidel. »

Dans le marécage

Fidel me libéra enfin de ma cage dorée pour m'emmener avec lui dans ses virées à travers le pays. Une nuit, il me sortit du lit avant l'aube et m'entraîna dans sa Jeep. Nous roulâmes sans escorte durant des heures. Je lui demandai : « Que se passe-t-il, où allons-nous ? — Je n'en sais rien, j'avais envie de ficher le camp », telle fut sa seule réponse. Il continua de rouler, silencieux, de façon sèche, comme mû par une sorte d'instinct meurtrier, comme s'il cherchait à se débarrasser de tous ses problèmes.

Dans les marécages de Zapata, près de Playa Girón, il arrêta la voiture. Sans dire un mot, il agrippa le volant et posa son visage entre ses mains. Il était complètement exténué, anéanti.

Le soleil se levait, accompagné d'une douce brise tropicale. Les oiseaux commençaient à chanter. Soudain, il empoigna son revolver et bondit hors de la voiture. Il fit quelques pas dans la bourbe puis se retourna, tendit la main et m'appela : « Viens, Alemana, viens m'aider. »

Un paysan, qui approchait dans notre direction, demanda d'un ton incrédule : « C'est bien toi, *Commandante* ? » Fidel acquiesça, puis reprit : « Dis-moi, aurais-tu un peu de café ? » Nous suivîmes ce paysan qui nous offrit un café. Ensuite, il nous prêta sa pinasse, sur laquelle nous gagnâmes la mangrove.

Fidel rompit enfin le silence pour avouer : « Je ne sais plus comment continuer. » Son problème était que médecins, professeurs et économistes gagnaient Miami par milliers. Toutes les élites fuyaient Cuba et les milieux d'affaires étaient hostiles à Fidel. Le pays était au bord du désastre économique.

Fidel quitta la barque et entra dans le marais. Il avait de l'eau jusqu'aux genoux. Je lui demandai où il voulait aller. « Nulle part », répondit-il. Aussi exigeai-je qu'il me confiât son arme. Je lui dis ensuite : « Je crois que tu devrais faire ce que t'avait conseillé papa : dialoguer avec le gouvernement américain. » Quand il remonta sur la pinasse, il reprit son revolver et tira sur un alligator. Je l'en blâmai – je voulais tant l'aider ! –, mais lui fis cette suggestion : « Si j'étais à ta place, je transformerais ces marécages en rizières. C'est la seule plante que l'on puisse cultiver ici. » Il me regarda fixement et déclara, dans un grand rire : « Alemana, tu es formidable ! »

Il redevint subitement gai et se mit à dresser des projets pour la future riziculture cubaine. Il devait par la suite mettre cette idée à exécution, même si ce fut ailleurs que dans ces marécages de Zapata. J'avais faim, j'étais fatiguée et je n'aspirais qu'à rejoindre le propriétaire de la pinasse. Mais Fidel, soudain devenu intarissable, n'arrêtait plus de me parler de politique agraire, au point que je faillis m'endormir. Quand nous arrivâmes enfin, Fidel s'élança dans l'eau, comme un enfant, et m'entraîna derrière lui. « Il faut rentrer, Fidel, les Cubains t'attendent. — Oui, et maintenant ils vont m'aimer plus encore ! » Cela m'agaçait toujours quand il se montrait si présomptueux.

Avec le plus grand naturel, nous fîmes l'amour dans l'eau. Fidel garda les yeux ouverts, comme s'il ne voulait rien laisser échapper de cet instant. Moi, je retrouvais Cuba, l'île sauvage, tout entière dans ces effluves.

Les problèmes familiaux de Fidel

Fidel croulait sous le travail. Il était hanté par l'idée de transformer Cuba en un paradis. Mais il manquait de discipline et de diplomatie. Constamment emporté par ses sentiments, il menait ses plans au jour le jour. Chaque problème surgissant sur son chemin devait être résolu sur-le-champ. Il ne cessait alors de se disperser.

Son peuple avait besoin de lui. Il était également conscient de l'ascendant qu'il exerçait sur ces gens et, comme chacun s'adressait à lui, il s'échinait à aplanir les difficultés. Mais il prenait seul toutes les décisions et, avec un tel style d'arbitrage, qui défiait tant le bon sens que les règles du droit, son cabinet en vint bientôt à ne plus jouer aucun rôle. Souvent il me demandait, tout à trac, ce qu'il devait faire. Embarrassée, je lui répondais : « Examine tous les aspects du problème, ensuite tu prendras une décision. » Parfois, il disait aussi : « Si seulement ton père était là ! »

Je me sentais tenue à l'écart, moi qui aurais tant souhaité l'aider. Il était Cuba, il était la Loi, il était Dieu − pour moi aussi. Ce furent ces mois passés avec lui qui me permirent enfin de sortir de l'enfance. Je restais indépendante, indisciplinée, sauvage. Mais j'étais également timorée, soumise, circonspecte, voire tout simplement angoissée. Cette existence nouvelle, dans l'univers des adultes, était comme un habit trop large pour moi. J'étais encore trop petite. Je me disais simplement : Fidel est un homme parmi d'autres, mais c'est lui que j'aime, voilà tout. Je n'éprouvais aucun respect particulier pour le pouvoir qu'il exerçait. Pourtant, c'est bel et bien la politique qui finit par détruire notre amour.

Les gens avaient pour lui une véritable adoration et il arrivait souvent, dans la rue, qu'ils lui baisent les pieds. Fidel avait besoin de cette légitimation, de cette reconnaissance, comme d'autres ont besoin d'adrénaline.

A mon avis, cela tenait beaucoup à son enfance. Son père, Angel, était un riche propriétaire foncier, un arriviste brutal. Il exploitait sans pitié ses cinq cents ouvriers agricoles et se montrait très dur avec Fidel, qu'il lui arrivait souvent de frapper. Son épouse, Lina, qui sans nul doute aimait son fils, n'en restait pas moins distante et moralisatrice. Fidel reçut très peu d'amour durant son enfance et dut sans cesse lutter pour se faire apprécier de son père.

A l'époque déjà, il était rebelle. Indigné par l'inégalité entre les classes, il tenta d'organiser contre son propre père une grève des travailleurs du sucre. Il n'avait alors que treize ans ! Étudiant, il lui arriva un jour de s'élancer à bicyclette contre un muret, pour démontrer qu'il était bien plus courageux que tous et n'avait peur de rien. Il perdit certes connaissance sous la brutalité du choc, mais n'en fit pas moins grande impression à ses camarades. Et tel devait-il rester sa vie durant : jamais il ne cessa de se frapper le crâne contre les murs. C'était un meneur, en révolte contre toutes les autorités : son père, le dictateur Fulgencio Batista, les États-Unis...

Fidel haïssait l'injustice, la corruption, la drogue, la prostitution. Il se sentait également coupable d'appartenir à une famille d'exploiteurs. Jeune avocat, il plaida pour nombre de crève-la-faim, sans jamais leur demander les moindres honoraires. Après la révolution, la ferme de son père fut la première à être expropriée et Fidel fit même incarcérer quelque temps son frère aîné, Ramón, qui avait protesté. Après la révolution, Fidel abjura définitivement sa famille. Pas une fois, sa mère ne fut invitée à l'ancien Hilton pendant que j'y séjournai et, de manière générale, Fidel ne faisait pratiquement jamais la moindre allusion aux Castro. Son frère Raúl, qui en 1959 était déjà un communiste convaincu, combattit dès le début de la révolution au côté de Fidel, mais, quand les choses devinrent sérieuses, il lui fallut également filer doux. Le commandant ne tolérait aucune contradiction. Il se considérait comme l'unique libérateur de Cuba.

Fidel entendait honorer les promesses qu'il avait faites aux Cubains. Il voulait que tous, les pauvres comme les riches, les Noirs comme les Blancs, puissent fréquenter les mêmes écoles et les mêmes hôpitaux. Très tôt, il ordonna que les luxueuses artères de Varadero soient désormais ouvertes aux Noirs. Raúl, opposé à une abolition aussi rapide de toutes les barrières sociales, redoutait une dépopulation massive des campagnes. Fidel répondit seulement : « Et alors ? Laisse-les donc tous débarquer tranquillement par ici. » Raúl aurait voulu transformer l'île à petits pas. Mais c'était Fidel qui imposait sa volonté et tout se faisait selon sa manière, expéditive et chaotique.

Selon certaines rumeurs, Raúl aurait été homosexuel. Peut-être en raison de ses traits délicats, un peu féminins. Pour en finir avec ces ragots, il épousa Vilma Espín. La cérémonie eut lieu au Habana Libre, mais je n'y fus pas conviée et dus rester dans ma chambre. Ce détail me blessa. Mais Fidel n'assista pas non plus au mariage. Il avait beaucoup à faire et se souciait fort peu des conventions. C'était tout lui, ce mélange de paysan, de bandit et de gladiateur.

Il se montrait surtout agité et impatient. Bien souvent, il allait et venait à travers la chambre, mâchouillant son cigare, parce que quelque chose l'avait mis en rage. Un rien suffisait à le faire exploser, même si, quelques minutes plus tard, il se montrait à nouveau aimable et séduisant. Durant son sommeil, je le contemplais pendant des heures. Il pouvait rester plusieurs minutes complètement détendu puis, soudain, se redresser trempé de sueur en s'écriant : « Où suis-je ? » Il faisait constamment des cauchemars. Bien souvent, je le serrais dans mes bras pour lui assurer un sommeil tranquille.

En avril, je commençai à être bien ronde et il n'était plus possible que ma grossesse passe inaperçue. J'étais radieuse, sans comprendre que je vivais en fait dans l'œil du cyclone.

J'étais encore jeune, presque une enfant – et une simple pièce sur cet obscur échiquier. Certes, j'aurais dû me méfier des services secrets ; pourtant je continuais d'adresser à ma mère des lettres insouciantes. Bien que travaillant à Heidelberg pour le compte de la CIA, elle recevait mes lettres de La Havane, auxquelles elle répondait avec beaucoup de tendresse. J'étais à mille lieues de soupçonner que ma liaison avec Fidel Castro intéressait à ce point les services secrets américains.

Les problèmes familiaux de Marita

L'aventure de Marita créa inévitablement des remous. Et même son père eut à subir les foudres de son armateur, l'honorable Norddeutsche Lloyd, qui craignait de voir cette affaire porter atteinte à sa réputation. Heinrich Lorenz n'était pourtant guère en mesure de s'occuper de cette fille obstinée. Il était chargé, à Bremerhaven, de la reconstruction du Louis Pasteur, qui devait devenir le nouveau Bremen. Par ailleurs, Alice June Lorenz, de retour en Allemagne pour le compte de la CIA, n'avait pas non plus de temps à consacrer à sa fille. Aussi les parents de Marita confièrent-ils à leur fils aîné, Joe, la mission de veiller sur sa sœur. Joe suivait à l'époque une formation pour devenir diplomate. Parlant de cette affaire, Joe me confie : « Il est possible de veiller sur une sœur "normale", mais pas sur une Marita. »

Pendant son idylle avec Fidel, elle était de temps à autre venue à New York. Lors de son premier séjour, Joe lui interdit de repartir pour Cuba. Elle promit de lui obéir. Quelques jours plus tard, elle décida cependant de se rendre en Floride, pour rendre visite à une prétendue amie. Un ami de Joe, Sayed al Ridi, un diplomate égyptien en poste aux Nations unies, se proposa de l'accompagner jusqu'à Miami. Lui-même devait ensuite se rendre au Mexique. Al Ridi jura à Joe qu'il surveillerait bien Marita... Peu de temps après, Joe reçut un appel de La Havane. « A mon grand effroi, me raconte-t-il, c'était Sayed en personne, qui me dit : "Marita m'a persuadé de l'accompagner et maintenant je suis enfermé au Habana Libre. Tout à l'heure, Fidel Castro s'est planté devant ma porte. Il rugissait, il disait que j'étais expulsé et que je devais quitter le pays sur-le-champ." Comme je lui demandais où se trouvait Marita, Sayed répondit : "Elle est partie, avec Fidel, à je ne sais quelle soirée." »

Les amours cubaines de Marita pesèrent également sur la carrière de Joe. Il venait juste d'achever sa formation à l'université de Columbia, comme spécialiste de l'Amérique latine, et devait entrer en poste à l'ambassade de Buenos Aires. Mais la CIA refusa de donner son assentiment, pour « motifs de sécurité ».

Il affirme cependant n'en avoir jamais voulu à Marita qui, bien malgré elle, a ruiné sa carrière de diplomate. Il est aujourd'hui professeur de sciences politiques à Boston, situation plus qu'honorable.

Richard Nixon

Fidel était extrêmement jaloux. En me voyant débarquer à La Havane avec Sayed al Ridi, l'ami de mon frère, il se mit hors de lui. Il avait tout de suite compris que l'Égyptien avait des vues sur moi. Sans plus attendre, il entra dans la chambre de Sayed et lui enjoignit de quitter Cuba sur-le-champ. Sayed eut beau invoquer son statut diplomatique, cela ne servit à rien.

Le 21 avril 1959, je me rendis à New York en compagnie de Fidel et de ses experts financiers. Il avait été convié à une conférence de presse internationale – mais nullement invité par le gouvernement américain. J'avais bien dit à Fidel que ce voyage était prématuré. Mais il était convaincu qu'on le recevrait avec les honneurs – les États-Unis, après tout, finançaient son combat. Pur infantilisme politique. Je le mis en garde : « Rien qu'à voir ton allure, ils ne te feront jamais confiance. »

Comme d'habitude, je l'attendis à l'hôtel, cette fois dans une suite du Statler, en face de Pennsylvania Station. Il revint de la conférence de presse entouré de vingt-six jolies journalistes. Il rayonnait d'enthousiasme : « Elles m'aiment toutes ! » Puis il se regarda dans la glace et se caressa la barbe. « Je suis comme Jésus, je porte une barbe, j'ai la même allure que lui, j'ai trente-trois ans, comme lui. »

J'acquiesçai mais au fond de moi-même je me disais qu'il était vraiment fou. Il s'allongea sur le lit et, pendant que je lui ôtais ses bottes, il me parla des aides économiques qu'il allait certainement recevoir. « De qui ? », demandai-je prudemment. « Du grand frère. »

Seul un ego démesuré peut amener à de telles élucubrations. Je lui répondis : « Mais ton grand frère ne comprend pas pourquoi tu portes des bottes, et il ne connaît rien de tes intentions ! » Sa réponse fut : « Je ne les connais pas moi-même, mais ils m'apprécient et ils vont aider Cuba. »

Il se trouva encore une hystérique pour demander Fidel au téléphone. C'en était trop et je craquai, de fureur, de jalousie. Prête à la bagarre, j'ouvris la porte du couloir, devant laquelle se pressaient journalistes, policiers et agents secrets, et hurlai : « Pas une femme n'entrera dans cette suite ! C'est moi qui décide. Je suis Marita, et Fidel est ici dans ses appartements privés. C'est bien compris ? » Les flashs crépitèrent et un agent du FBI s'avança pour me demander : « Vous êtes bien américaine ? »

Comme je l'avais imaginé, le gouvernement américain ne fit absolument rien pour aider Fidel. Eisenhower n'avait pas même daigné renoncer à sa partie de golf pour rencontrer le commandant. Fidel s'en montra déçu et amer, même s'il fut tout de même reçu, à Washington DC, par le vice-président, Richard Nixon. Il revint abattu de cet entretien. Nixon, tout en l'écoutant poliment, s'était montré froid et distant. Manifestement, les projets d'avenir du Cubain ne l'intéressaient pas.

Cette indifférence américaine renforça la position de Raúl et de Che Guevara. Communistes fervents, ils ne souhaitaient pas que Cuba s'appuie sur l'aide économique des États-Unis. Raúl, qui craignait de voir Fidel parvenir à un accord avec Washington, disait : « Il nous faut une aide économique, n'importe laquelle mais pas celle-là. » Mais Fidel était avant tout pragmatique. Et la pression était forte. Les Cubains voulaient voir s'accomplir au plus vite les promesses : un meilleur système d'éducation et de santé, ainsi qu'une réforme agraire. C'est en fait l'attitude de Nixon qui décida Fidel à rejoindre le point de vue de son jeune frère.

Avant de quitter Washington, Fidel m'emmena voir un homme de grande taille, portant la barbe, aussi mal attifé que lui : la statue de marbre d'Abraham Lincoln... J'avoue que je fus très surprise.

Un combat d'ombres

Jesús Yáñez Pelletier, en tant qu'aide de camp de Castro, fut le seul autre Cubain à avoir assisté à la rencontre avec Richard Nixon. Je lui montre la photo sur laquelle on le voit, l'air souriant et fier, entre les deux hommes d'État. « On ne trouve plus à Cuba une seule photo de moi », observe le vieil homme, avec amertume.

Cet entretien a sérieusement transformé le cours de la révolution. Fidel s'était senti offensé que le président Eisenhower accorde plus d'importance à sa partie de golf qu'à une rencontre avec le dirigeant cubain. Bien que n'ayant reçu aucune invitation du gouvernement américain, il avait fermement cru qu'Eisenhower, qu'il considérait comme un « dirigeant victorieux », le traiterait d'égal à égal. L'accueil du vice-président Nixon avait achevé de le décourager. Pelletier me rapporte : « L'entretien a duré deux heures et vingt-huit minutes. » Mais Fidel monopolisait la parole, décrivant à Nixon ses projets de redressement de Cuba et la contribution que pourraient y apporter les États-Unis. Nixon, que tout cela ennuyait visiblement, n'était resté que par pure courtoisie.

Pelletier précise : « Cela a toujours été le grand défaut de Fidel, il parle tout seul et n'écoute personne. De sorte qu'il sait fort bien ce que lui-même pense, mais pas ce que pensent les autres. C'est ce qui a fait le malheur de Cuba. » De fait, le vice-président américain, aucunement séduit par l'homme nouveau de Cuba, rédigea à l'attention de son gouvernement une note qui allait marquer le début d'une longue et âpre guerre. Nixon y considérait comme exclu de collaborer avec Castro, celui-ci soutenant des positions de gauche radicales et son mouvement bénéficiant, de toute évidence, du soutien des communistes.

Bien avant avril 1959 et ce déplacement de Fidel Castro, l'opinion publique américaine avait déjà pris parti : les exécutions massives et expéditives des partisans de Batista avaient déclenché, aux États-Unis, un tel choc psychologique, que toute idéalisation romantique de cette révolution était devenue impossible. Les conseillers stratégiques du gouvernement américain recommandaient jusque-là, malgré ces évidentes atteintes aux droits de l'Homme, une certaine pondération. Ils voyaient en Fidel Castro un nationaliste, certes radical, mais anticommuniste, qu'un certain degré d'assistance devait permettre de contrôler. Mais Richard Nixon obtint du Conseil national de sécurité l'acceptation de son « Projet

Cuba » – *rigoureusement confidentiel* –, *visant à abattre le régime de Castro.*

La CIA ouvrit à cet effet ses premiers camps d'entraînement clandestins, où l'on entraînait des exilés cubains en vue d'une invasion de l'île. C'était la première fois que la CIA se voyait autorisée à mener des opérations sur le territoire américain ; elle s'y employa consciencieusement.

En décembre 1959, Allen Dulles, alors directeur de la CIA, signa un document préconisant expressément la « mise à l'écart » de Fidel Castro. Nixon était pressé. L'année 1960 était celle des élections présidentielles. Il entendait l'emporter sur le Parti démocrate grâce à un succès contre le régime cubain. Mais John Fitzgerald Kennedy, qui avait reçu l'investiture de son parti, exigea d'Allen Dulles un rapport d'activité, par lequel il apprit les projets cachés de Nixon concernant Cuba. Son comité de campagne trouva alors une parade : lors de plusieurs de ses discours électoraux, Kennedy s'en prit avec véhémence à ce Nixon qui ne faisait rien contre les prétendus « combattants de la liberté » cubains.

A cela, Nixon ne pouvait rien répliquer sans mettre en péril l'opération anticubaine qu'il préparait. Dans ses mémoires, parus en 1962, il écrit : « Je ne pouvais rien dire au sujet de nos projets concernant Cuba, car il s'agissait d'une opération secrète. Rien n'aurait pu m'autoriser à les mentionner ou à y faire la moindre allusion. Vis-à-vis des positions agressives de Kennedy, qui exigeait de nous une politique "militante", je me trouvais comme un guerrier dont on aurait lié les mains derrière le dos. »

Ainsi Nixon fut-il contraint de proclamer exactement le contraire de ce qu'il pensait vraiment, attribuant à Kennedy un téméraire aventurisme qui pouvait mener la nation américaine à une « Troisième Guerre mondiale »... Les préparatifs de l'invasion stagnèrent alors, cependant que les positions de Kennedy sur la question cubaine lui attiraient la sympathie de l'électorat.

Kennedy ne gagna cependant que d'une courte tête, et sans doute Sam Giancana, le boss de la mafia de Chicago, a-t-il joué un rôle important dans cette victoire. Après un entretien avec Joseph Kennedy, le père de John, il décida en effet de financer la campagne démocrate et d'apporter un nombre de votes que personne n'a jamais été en mesure de chiffrer. Contrairement aux autres patrons de la mafia, plus proches de Nixon, en politicien confirmé, Giancana était convaincu qu'avec JFK l'on pouvait réaliser de « bonnes affaires ».

Une fois élu, Kennedy reprit à son compte le projet de son adversaire républicain et s'attela à sa réalisation. Sous la conduite personnelle de son frère Robert, il mit sur pied une armée de l'ombre puissante et très ramifiée, constituée d'agents secrets, de mercenaires et de mafiosi. Cette armée, basée en Floride et chargée de préparer la « guerre sainte » contre Castro, ne tenait aucun compte de la Constitution ni des lois – à tel point qu'elle se dresserait contre son propre créateur, le président des États-Unis.

Frank Fiorini, alias Sturgis

Depuis La Havane, un homme envoyait à la CIA des informations alarmantes sur l'« infiltration communiste » au sein de l'armée de Fidel Castro. Cet homme, un mercenaire devenu agent secret américain, c'est Frank Sturgis, de son vrai nom Frank Fiorini. Une fois démasqué, Fidel dirait de lui qu'il était « le meilleur et le plus dangereux agent qu'ait jamais eu la CIA ».

L'homme à qui allait cet hommage – et qui s'efforcerait par la suite de recruter Marita – avait, dès 1958, infiltré l'armée rebelle de Castro, le gouvernement américain souhaitant tout connaître des structures, contacts et

64

*intentions du Mouvement du 26 juillet. Sturgis avait
d'abord gagné la confiance de Fidel pour avoir piloté de
petits coucous et largué des armes dans la zone rebelle
de la sierra Maestra, moyennant d'énormes risques. Puis
pour s'être joint aux combattants.*

*Au début, le mercenaire avait épousé les causes du
mouvement de Castro. Mais, après la victoire, cette attirance se mua en haine farouche quand vinrent les
premiers arrangements, encore timides, avec les communistes. En 1959, Fidel nomma Sturgis à deux postes
importants : chef de la police secrète de l'armée de l'air
et inspecteur des casinos. Singulière ironie de l'Histoire,
car Fidel ignorait que Sturgis, membre de la mafia, travaillait alors main dans la main avec les caïds locaux :
les frères Meyer Lansky, Santo Traficante, Sam Giancana et Johnny Rosselli.*

*Au printemps 1959, quand fut décidée l'expropriation
des casinos, l'un de leurs gérants, un certain Charlie Tourine, proposa à Sturgis d'assassiner Castro. Sa rétribution,
personnellement garantie par Meyer Lansky, le patron de
la mafia juive, s'élèverait à un million de dollars.*

*Par ailleurs, dès février 1959 – peu avant que Fidel
ne rencontre Marita –, Sturgis s'était entretenu avec le
chef de poste de la CIA, à l'ambassade américaine de
La Havane, et lui avait notifié que les communistes
étaient sur le point de rejoindre l'armée de Fidel. Le
moment était donc venu d'éliminer le commandant.
Lors d'une audition devant la commission Rockefeller,
en 1975, Sturgis reconnut sans détour que, dès ce mois
de février, quelques semaines avant le triomphe de la
révolution, il élaborait déjà un projet d'assassinat. Voici
le texte exact de sa déclaration : « Je voulais organiser à
Campo Libertad une rencontre avec tous les hauts responsables militaires, rencontre que j'aurais évidemment
contrôlée. Tous ces commandants seraient arrivés en*

Jeep ou dans leurs voitures personnelles. J'aurais fait poster des tireurs d'élite sur les toits. Fidel, son frère Raúl et les autres auraient été massacrés en trente secondes. »

L'antenne cubaine de la CIA transmit cette suggestion à Washington, demandant l'autorisation de mener à bien l'opération. Mais Washington n'avait pas encore de position ferme sur la conduite à tenir face à cet imprévisible gouvernement révolutionnaire de La Havane.

Dans l'unique interview, datant de 1988, où Sturgis fit allusion au rôle qu'il avait envisagé de faire jouer à Marita, en vue d'assassiner Castro, il déclara : « Elle était belle, elle n'avait que dix-neuf ans. Pour l'avoir, Fidel aurait rampé devant un serpent. Du point de vue des services secrets, c'était l'agent idéal. Or j'étais prêt à tout pour assassiner cet homme. C'est pourquoi, j'ai petit à petit travaillé Marita Lorenz, jusqu'à la convaincre d'empoisonner Fidel. »

Des yeux de serpent

Je fis la connaissance de Frank Fiorini, alias Sturgis, en août 1959. En compagnie de Fidel, Raúl, Camilo et quelques autres, je m'étais rendue à l'hôtel Riviera, un luxueux établissement dont on allait fermer la salle de jeux. Le responsable de ce casino, un très aimable gentleman nommé Charlie Baron, demanda en vain une période de répit, mais Raúl se montra inflexible. Il ordonna à ses hommes de s'emparer des bandits manchots et de renverser la table de roulette. Fidel, qui voulait préserver l'activité touristique de l'île, était, quant à lui, opposé à cette mesure, mais avait dû céder devant la pression des radicaux.

Je m'efforçai de calmer l'indignation du personnel en expliquant en anglais que notre action n'était qu'une « mesure temporaire ».

Un peu plus tard, dans l'élégant hall de l'hôtel, un commandant – je me souviens qu'il était de haute taille – s'approcha de moi et me chuchota, dans un anglais impeccable : « Fidel commet là une erreur monumentale. » Je ne répondis rien mais un frisson me parcourut le dos. Cet homme avait les yeux aussi froids et durs que ceux d'un serpent. Et c'est alors que je réalisai que ce même individu m'avait déjà adressé la parole, à la cafétéria du Habana Libre. Il m'avait alors dit : « Je peux t'aider, Marita, je sais qui tu es. » Cet homme, de toute évidence un Nord-Américain, qui portait l'uniforme des forces aériennes cubaines, m'avait déconcertée. Et je n'aimais pas son regard. « Moi, j'ignore absolument qui vous êtes, avais-je répondu. Et je n'ai besoin d'aucune aide. » Ses yeux froids m'avaient ensuite jaugée de la tête aux pieds. J'étais tout de suite allée voir « Pupo », le chef de la cafétéria, qui m'avait appris que cet homme s'appelait Frank Fiorini. Le soir encore, dans ma suite, son souvenir continua de me hanter. Quelque chose en lui m'inquiétait. Devais-je en parler à Fidel ?

Je passai un été 1959 fort agréable : je travaillais, j'étudiais, je faisais quelques excursions. J'allai un jour, avec Jesús Yáñez Pelletier, découvrir, sur l'île des Pins, l'immense prison circulaire dont, avant la révolution, il avait été le commandant militaire. Je fis libérer deux Nord-Américains qui me semblaient s'y trouver injustement incarcérés. J'avais au préalable pris, sur le bureau de Fidel, un formulaire en blanc, déjà signé de lui, sur lequel j'inscrivis le nom de ces deux hommes. Et j'expliquai à Yáñez Pelletier qu'il ne faisait là que répondre à un souhait de Fidel. Il les laissa sortir. L'un d'eux était Jake Meyer Lansky, le frère du grand boss de la mafia, le nom du second m'échappe aujourd'hui. Ce geste amena la mafia à s'imaginer que j'étais de son côté – élément qui ne manquerait pas non plus d'entraîner des malentendus.

Lorsque Fidel apprit ce que j'avais fait, il se mit en colère. Mais je lui dis : « Tu ne vas tout de même pas mettre en prison des Américains simplement parce qu'ils ont installé des machines à sous ! Ils n'ont tué personne ! Rappelle-toi ce que t'avait dit papa : ne te mets pas les Américains à dos... » Fidel rit alors et me donna raison. Il ignorait d'ailleurs que ces gens-là avaient été écroués.

Au cours de ce même été 1959, j'allai me baigner avec Camilo et Pedro Pérez Fonte à Varadero, fis des balades à cheval avec Fidel, allai en sa compagnie visiter une fabrique de sucre...

Castro me faisait découvrir son pays, pour que je comprenne mieux à quelles difficultés sa révolution se trouvait confrontée.

L'avortement

Nous étions heureux d'attendre cet enfant, qu'au bout du compte nous désirions l'un et l'autre. Survint alors ce jour affreux, le 15 octobre 1959, où je perdis mon bébé.

Fidel se trouvait ce jour-là en déplacement dans une autre province et j'avais demandé que l'on me monte à déjeuner dans ma chambre. Tout se passa normalement, même le garçon d'hôtel du Habana Libre était celui de d'habitude. La drogue se trouvait dans le verre de lait que j'avais commandé. Je n'en sentis pas le goût mais, peu après l'avoir bu, tous mes mouvements se ralentirent et je sombrai dans une totale confusion de pensée. Je tentai bien sûr de lutter contre cette affreuse sensation, contre cette impression de perte de connaissance, mais rien n'y fit. La pièce entière tournoyait et je m'évanouis. On me porta alors dans une voiture.

Nous roulâmes le long de la promenade Malecón et, par la vitre ouverte, l'Atlantique me lançait un peu de son écume. Je revins lentement à moi. Je me souviens que l'on me mena dans une chambre blanche. Un médecin, des vociférations, la douleur. Tous ces hommes qui me soulevaient. J'étais couchée sur une table de métal glacé. L'aiguille fichée dans mon bras me causait des douleurs affreuses. Je n'avais pas la force de parler ou même de crier, mais je me sentais gémir intérieurement. J'aperçus un éclair éblouissant puis sombrai à nouveau dans le néant.

C'est seulement quelques jours plus tard que je repris vraiment conscience. J'étais couchée dans une autre chambre du Habana Libre, je saignais, j'étais au bord de l'agonie. Mon ventre était plat et vide, il n'y avait plus de bébé. C'est dans cet état que me découvrit Camilo Cienfuegos. « Mon Dieu, que s'est-il passé ? », demanda-t-il avec effroi. Il contemplait d'un œil incrédule mon visage, mon uniforme souillé de sang. Des larmes lui montèrent aux yeux. Il alla chercher des mouchoirs pour stopper l'hémorragie, me débarbouilla, me donna à manger avec une cuiller et tenta désespérément de joindre Fidel au téléphone. J'entendis le commandant crier sur la ligne : « Oh non, oh non, ne dis pas ça ! Qui a fait le coup ? »

J'étais paniquée. Camilo me rassérénait chaque fois qu'il devait quitter la chambre, et fermait bien la porte à clé. Quand il réapparaissait, avec sa grande barbe, son chapeau de cow-boy et ses longs cheveux, il me faisait l'effet d'être le Christ. Je faisais une septicémie, doublée d'une forte fièvre et de saignements spasmodiques. Camilo trouva des antibiotiques et fit venir un médecin pour assurer les soins d'urgence. Très déprimée, je voulais voir ma mère. Les ennemis de Fidel s'en étaient pris à moi. Deux jours après mon avortement, Frank Sturgis quittait le pays. Camilo décida de m'envoyer aux États-Unis pour que j'y suive un traitement médical. Il téléphona pour cela à mon frère Joe et je partis de La Havane, complètement déprimée.

Les racontars de la CIA

Ma mère me reçut à New York en compagnie de quatre officiers au visage fermé. A cet instant même, sans m'en douter, je pénétrai dans l'univers répugnant de la CIA.

J'avais laissé mon cœur à Cuba, c'est à Fidel que j'appartenais. Je protestai énergiquement contre ces « agents de la Gestapo » qui nous suivirent dans notre appartement de la 87ᵉ Rue, et me sentis bouillir de rage lorsque ma mère m'expliqua que deux de ces hommes allaient dormir chez nous – « pour ta sécurité ». Je voulais qu'ils s'en aillent, je voulais avoir la paix, je voulais surtout parler à Fidel.

Le lendemain, je saignai de nouveau et fus transportée à l'hôpital Roosevelt. Le Dr Anvar Hanania m'opéra et procéda à un curetage. Selon lui, il ne s'agissait pas d'une fausse couche mais d'une naissance prématurée, avec « insuffisance de soins postnatals ». A l'hôpital, je reçus la visite de Pedro Pérez Fonte, l'un des conseillers de Fidel. Il me parla d'une voix douce et m'apprit que le bébé – un petit garçon – avait survécu et se portait bien. Fidel avait fait fusiller le médecin qui avait effectué cet accouchement prématuré et souhaitait que je rentre à Cuba. Dès que Fonte quitta ma chambre, il fut arrêté car il aurait cherché à obtenir « mon silence ». Pure absurdité. Il jouissait du statut diplomatique et l'on finit par le relâcher.

La CIA faisait paraître dans les journaux toutes sortes de mensonges et de fausses informations concernant ma relation amoureuse avec Fidel. Ma mère, elle-même, accepta de publier, dans la revue *Confidential*, un article innommable au titre racoleur : « L'atroce histoire d'une mère américaine : Fidel Castro a violé ma fille mineure », parfaitement adapté au goût du public américain. S'ensuivait la description détaillée de ce viol imaginaire : à mon arrivée à Cuba, Fidel, après avoir très normalement conversé avec moi pendant une demi-heure, se serait déshabillé et m'aurait ordonné de faire de même. Malgré mes supplications, il m'aurait arraché mes vêtements. Comme je lui montrais la croix que je portais au cou, il l'aurait arrachée avec colère et se serait précipité sur moi comme une brute. Du fait de son poids, j'aurais souffert d'un prolapsus qui m'aurait clouée au lit pendant trois jours. Par la suite, Fidel m'aurait fait administrer des drogues, pour pouvoir abuser de moi autant qu'il le voulait. Pelletier, quant à lui, aurait utilisé d'autres drogues pour provoquer l'accouchement, après m'avoir bien fait comprendre – selon l'article, il brandissait un revolver – qu'il était hors de question que je quitte Cuba enceinte de Fidel. Comme le produit n'agissait pas, le même Pelletier m'aurait frappé le ventre à coups de poing.

Dès que je fus sur pied, je m'enfuis en Allemagne pour oublier toutes ces horreurs et retrouver la paix. Mais la CIA m'y avait précédée : je découvris dans un kiosque un exemplaire de *Stern* qui reprenait à son compte toutes les contrevérités forgées par la CIA. J'étais devenue le symbole vivant de la brutalité du « Dictateur rouge », un instrument dans la guerre psychologique entre les deux systèmes qui entendaient régner sur le monde.

Après la publication de cet article, Fidel refusa de me prendre au téléphone. Il était très inquiet de l'effet de ces racontars sur l'opinion publique américaine.

Un avortement traumatisant

Cette affaire fut le troisième traumatisme de la vie de Marita, après le camp de concentration et son viol, à l'âge de sept ans. Elle reste persuadée aujourd'hui qu'il ne s'agissait pas d'une fausse couche, mais d'un accouchement provoqué de manière prématurée, auquel son enfant aurait cependant survécu. Elle en fit part à Fidel en 1981, lors d'un voyage à Cuba après vingt et un ans d'absence.

Fidel lui expliqua alors que leur fils, Andrés, était effectivement en vie mais que son existence demeurait un secret d'État, pour ne pas, entre autres, fournir à la CIA d'occasions de provocation. Il est certes possible que l'enfant ait réellement survécu, puisque Marita, selon son souvenir, en était déjà à son septième mois de grossesse. Mais je crains fort qu'elle ne s'accroche à une illusion. J'ai retrouvé, dans son coffre de marine, une lettre adressée par sa mère le 9 février 1960 au sénateur William J. Fulbright, lui demandant une aide pour le traitement médical de Marita.

« Le 4 février 1960, ma fille a souffert de graves saignements. Avec le sang, se sont écoulés des fragments cartilagineux dont certains atteignaient un pouce de longueur. J'ai moi-même recueilli dans ses bandages une douzaine de ces fragments pour les faire examiner par le service de gynécologie de l'hôpital Roosevelt. L'analyse a permis de déterminer qu'il s'agissait de débris du squelette d'un enfant jamais venu au monde. Marita est sous le choc et souffre d'une sévère dépression. »

Alice June Lorenz a-t-elle également écrit cette lettre sur ordre de la CIA, pour accréditer la thèse selon laquelle Fidel aurait fait tuer l'enfant que portait Marita ? Cette hypothèse n'est pas à exclure... Dans le clair-obscur qui entoure les services secrets, tout demeure envisageable.

Mais il faudrait alors également considérer comme une falsification systématique le journal personnel de Frank Nelson, à l'époque homme d'affaires et agent secret.

Le journal de Nelson

Frank Nelson, négociant américain qui avait jadis investi à Cuba dans la langouste et même noué des rapports d'amitié avec l'ex-dictateur Fulgencio Batista, fréquentait, en octobre 1959 encore, les milieux politiques de La Havane. Sur le point de se voir déclaré « contre-révolutionnaire », il quitta alors le pays et se joignit au groupe des ennemis de Castro, qui cherchaient à faire partager leur point de vue à Marita.

Celle-ci avait fait la connaissance de Nelson après son retour de La Havane, puis l'avait perdu de vue pendant des dizaines d'années. Peu avant sa mort, en 1988, ils se rencontrèrent par hasard dans Central Park, à New York. Il était devenu un vieil homme malade, dont Marita s'occupa pendant les derniers mois de son existence. En guise de remerciement, Marita aurait pu espérer qu'il lui léguât ce luxueux appartement surplombant Central Park, mais il ne lui laissa rien d'autre que trois mille pages de souvenirs. Avant de mourir, il lui dit : « Quand je serai mort, ouvre la cloison qui se trouve derrière l'armoire de la salle de bains, tu y trouveras quelque chose. Ce cadeau te paraîtra peut-être empoisonné, mais c'est à toi qu'il revient. »

Marita trouva dans cette cachette les mémoires d'un agent clandestin, farouchement anticommuniste. Elle n'a jamais lu ce journal, préférant m'en confier le soin.

La première page, à elle seule, résume tout. On y voit une photo datant de début 1959, sur laquelle Frank Nelson se tient juste à côté de Fidel Castro. Sous la photo, il a noté : « On me voit ici tout à côté de ce salaud. Malheureusement, je n'avais rien sur moi pour lui crever la peau. »

Dans cette épaisse liasse, je trouve trois pages relatives à l'accouchement de Marita. Les souvenirs de Nelson sont si étranges qu'il convient de les rapporter : « Le médecin, un cardiologue, refusa de procéder à cette opération, parce que Marita était déjà enceinte de six mois. Mais le capitaine Pelletier, brandissant son 45, le fit changer d'avis. Le médecin, extrêmement nerveux, accomplit mal son travail. Fébriles nous aussi, car peu accoutumés à ce genre de travaux, nous ne pûmes réparer cette grossière maladresse du Dr Ferrer. Nous ramenâmes ensuite Marita au Habana Libre, mais dans une petite chambre, et non dans sa luxueuse suite. Elle demeura là trois jours entiers, sans nourriture ni soins médicaux. Sa grave infection aurait pu la conduire à la mort. Quand le directeur de l'hôtel se rendit compte de la situation, il devint hystérique. Voyant soudain Camilo Cienfuegos pénétrer dans le hall, il se dirigea vers lui et le supplia de faire quelque chose pour Marita. Camilo, hors de lui, s'écria assez fort pour que tous autour l'entendent : "Si Marita meurt, moi je descendrai Fidel !" Il fit appeler un médecin et apporta à Marita un peu d'eau et de nourriture. Il ne reprit que trois jours plus tard son poste de chef de l'armée rebelle. Lors de sa dernière visite à Marita, à l'hôpital cette fois, il lui fit savoir qu'elle était en grand danger et lui conseilla de quitter l'île dans les plus brefs délais. Il ne pouvait rien faire de plus pour elle. Quelques jours après cet avortement, Camilo prit son avion et disparut sans laisser de traces. »

Je fais lire cet extrait à Marita. Elle est bouleversée. Nombre de détails coïncident parfaitement avec ses souvenirs : elle était dans un lit en train de saigner, abandonnée à elle-même, et Camilo lui a effectivement sauvé la vie. Mais elle refuse d'envisager que Fidel Castro ait pu jouer le moindre rôle dans ce drame : « Il n'aurait jamais fait une chose pareille, ça ne correspond tout simplement pas à son style. »

Même Jesús Yáñez Pelletier, « l'ennemi de l'État cubain », auquel je pose la question à La Havane, prend ici la défense de Fidel Castro. Il confirme cependant en partie les souvenirs de l'agent Nelson : il reconnaît avoir emmené Marita chez un médecin pour un avortement. Ce médecin, dont il préfère taire le nom, était « un ami commun » de Fidel et de lui-même. L'homme aurait procédé à l'intervention, à la demande même de Marita. Sans doute avait-elle été guidée par la déception. Vers la fin de l'été, Fidel s'était en effet lassé d'elle et avait cherché à la quitter. Il ne supportait plus l'incessante jalousie de Marita et avait ordonné qu'on l'installât dans un hôtel de seconde catégorie, le Colina. Fidel avait envie, selon les propres termes de Yáñez, « d'un nouveau jouet ».

Cependant, assure Yáñez, si on avait posé la question à Fidel, celui-ci se serait certainement opposé à cet avortement. Cet opiniâtre macho aurait tiré fierté de n'importe quel enfant conçu par lui, la mère fût-elle agent de la CIA. Je sens bien que le vieil homme ne consent qu'à contrecœur à me parler de cette affaire et qu'il ne me dit pas non plus toute la vérité. Peut-être aussi n'en garde-t-il qu'un souvenir déformé.

Je lis à Yáñez Pelletier le passage de l'article de Confidential, où la mère de Marita affirme qu'il a lui-même provoqué cet avortement, à coups de pied dans le ventre de sa fille, il éclate de rire : « Quelle invention, vraiment ! J'aimerais beaucoup pouvoir revoir Marita aujourd'hui et parler de cela avec elle. Je ne comprends pas qu'elle ait laissé passer un mensonge aussi énorme. Nous étions les meilleurs amis du monde. »

Malgré de longues recherches, je ne suis jamais parvenu à découvrir le fin mot de l'histoire. Accouchement prématuré ou avortement ? Il se pourrait que l'explication de l'énigme figure dans les archives de la sûreté cubaine, il se peut aussi que Frank Sturgis ait emporté un mystère supplémentaire dans sa tombe. Car il était en son pouvoir, à l'époque, de faire sortir Marita de sa cage dorée du Habana Libre, pour lui « retirer » l'enfant. Cela collerait bien aussi à sa manière de « recruter » de nouveaux agents.

3

L'ANGE DE LA MORT DE LA CIA

Petit à petit, on me fit rencontrer les dirigeants des organisations de l'exil cubain, ainsi que différents agents affectés à la lutte contre Cuba, dont Manuel Artime, Frank Nelson, Rolando Masferrer et Manolo Ray. Je me sentais faible, esseulée, dépressive. Je repensai souvent, durant ces semaines-là, au viol du sergent Coyne. J'avais l'impression de me retrouver dans la même situation : ces gens-là avaient besoin de moi pour leur saloperie de politique. Je tins bon, cependant, jouant le jeu, me refermant sur moi-même, tout comme après cet affreux souvenir. Je ne souriais jamais et ne manifestais aucun sentiment, si bien que personne ne pouvait savoir ce que je ressentais véritablement.

Ces agents ne cessaient de me baratiner : Fidel m'avait maltraitée, physiquement et moralement ; je devais m'estimer la plus heureuse des femmes d'avoir pu échapper à cet enfer cubain ; à moi maintenant de laver mon honneur et de me montrer digne de ma nouvelle patrie...

Un soir, je reçus un télégramme. Mes gardiens étaient sortis dîner et ma mère, qui avait de nouveau été envoyée en mission à l'étranger par la CIA, n'était pas non plus à la maison. Je me trouvais donc seule quand ce télégramme me fut remis. Il venait de Cuba. Sous le

77

coup de l'émotion, mon cœur se mit à marteler dans ma poitrine. Le texte me demandait d'appeler un certain numéro à La Havane. Mais je ne voulais pas le faire de chez moi, car ma ligne était certainement sur écoute. Je dévalai l'escalier et gagnai une cabine téléphonique. A peine venais-je de demander l'international, que j'entendis des bruits de pas. Je n'y pris pas garde, trop habitée par la pensée d'entendre Fidel, sa voix, les premiers mots qu'il me dirait... Soudain, quelque chose siffla au-dessus de ma tête et je fus aussitôt recouverte d'éclats de verre. Je compris dans l'instant que l'on venait de me tirer dessus. Je m'accroupis alors. Une seconde détonation retentit. Je sortis de la cabine en rampant et m'écroulai dans la neige. J'étais paralysée par la peur, incapable même de crier. Les éclats de verre m'avaient blessée au visage et du sang coulait dans mes yeux. J'aperçus un homme en habits sombres qui disparaissait par le Riverside Drive. Je n'avais pas mal, seulement peur et terriblement froid. Je parvins tant bien que mal à parcourir deux blocs, en direction de Broadway, où je retrouvai de la lumière, des gens, un possible secours. L'avertissement était sans équivoque : je m'étais montrée désobéissante et l'on m'avait punie.

J'atteignis enfin notre appartement et, avant toute chose, nettoyai mon visage ensanglanté. Mes cerbères n'étaient pas là. Ayant constaté ma disparition, ils étaient repartis à ma recherche. En revenant, ils se montrèrent furieux : « Pourquoi ne nous as-tu pas attendus ? Nous sommes ici pour te protéger. » Je leur racontai que j'étais seulement allée faire un tour, mais ils découvrirent mes affaires dans la salle de bains et je dus bien leur avouer la vérité. Ils empoignèrent le téléphone et, d'un ton paniqué, appelèrent leurs supérieurs.

Quand Frank Sturgis entra soudain dans la pièce, je lui demandai : « Mais qu'est-ce que tu viens foutre ici, toi ? » Il me répondit avec froideur : « Je travaille avec eux, Alex, Manuel et les autres. En Floride, bien entendu. » Je fixai son dur regard de reptile et sentis tout mon corps se glacer. Avait-il, à La Havane, joué un rôle dans mon accouchement prématuré ? Il ne me posa aucune question sur mon bébé, ce qui déjà en soi était étrange, et se contenta de me dire : « Bienvenue à bord. »

Je ressentis sa brutale poignée de main comme une menace.

La guillotine révolutionnaire

Jesús Yáñez Pelletier resta chargé du « problème Marita », même après le retour de celle-ci à New York. Cette affaire ayant été utilisée par la CIA comme instrument de propagande contre Cuba, Fidel avait envoyé Jesús à New York pour faire cesser cette campagne. Pelletier avait rencontré Marita ainsi que sa mère et demandé à la maîtresse de Castro de regagner l'île. Marita s'y était refusée.

Je montre à Yáñez Pelletier un document du FBI, déclassifié entre-temps, où l'on peut lire : « Marita Lorenz a informé Frank O'Brien que Yáñez Pelletier, adjudant de Fidel Castro, s'est rendu à New York le 18 décembre 1959 pour recueillir des informations secrètes. Elle affirme s'être rendue hier soir avec lui au restaurant Barraco. »

Un autre document du FBI, hautement confidentiel, daté du 21 mars 1960, fait état d'un appel téléphonique de Marita. Elle avertissait le FBI que, ce jour-là, Yáñez était à New York pour la convaincre de partir avec lui au Mexique. Ce même document précise : « Madame Lorenz affirme que le commandant Yáñez lui a reproché d'être à l'origine d'une brouille entre lui-même et Fidel Castro. Celui-ci l'aurait contraint à se séparer de son épouse cubaine, afin d'épouser Marita et de porter la responsabilité de toute cette affaire. » Pelletier hoche la tête, visiblement consterné. « Jamais je n'aurais pensé que Marita travaillait déjà pour le FBI à ce moment-là ! »

Lui-même fut arrêté après son retour à La Havane, en avril 1960. Fidel Castro s'était alors résolu à collaborer avec l'Union soviétique. Une des conditions posées par Khrouchtchev, pour consentir à Cuba une aide économique, était que le Parti communiste cubain participe au pouvoir. Il exigeait également que soient écartés tous les collaborateurs de Castro qui manqueraient d'enthousiasme vis-à-vis de Moscou. En passant ce pacte avec les communistes, Fidel trahit les idéaux de la révolution et fut poussé par Moscou à destituer ceux qui naguère dirigeaient le Mouvement du 26 juillet, au profit d'une dictature personnelle.

Jesús Yáñez Pelletier s'opposa à ce changement de cap. A ses yeux, ce partenariat avec l'Union soviétique constituait une impasse stratégique, où Cuba deviendrait un simple jouet dans l'affrontement entre les deux superpuissances. « A cette époque-là, on pouvait discuter de tout avec Fidel, très ouvertement. Il se montrait attentif à nos opinions et personne n'avait peur de lui. » Mais Fidel, au lieu d'aborder la question avec lui, le fit tout bonnement mettre en prison. Un tribunal révolutionnaire le condamna de manière expéditive pour « détournement de fonds » et « proaméricanisme ».

La guillotine révolutionnaire travaillait alors à plein régime, les prisons cubaines s'emplissaient de vétérans de la révolution. L'amitié, commente Yáñez Pelletier, était devenue pour Fidel un mot vide de sens. « Le premier qui lui faisait obstacle était liquidé, quel qu'il fût. »

Je demande à Yáñez Pelletier si les États-Unis ne portaient pas également une part de responsabilité dans ce coup d'État des frères Castro. Il me répond : « Si le régime cubain avait souhaité, à ce moment-là, une collaboration avec les États-Unis, cela n'aurait pas été facile, certes, mais pourtant réalisable. »

La lutte contre « l'impérialisme américain » fut pour Fidel le prétexte rêvé pour asphyxier la liberté dans son propre pays et le militariser entièrement. Parallèlement, les deux parties – le gouvernement américain et Fidel Castro – entamèrent, au milieu de l'année 1959, un redoutable bras de fer. Ainsi commença une guerre, larvée mais pour le moins sordide, dans laquelle Marita Lorenz allait, bien malgré elle, se trouver impliquée.

Le lavage de cerveau

J'étais déchirée entre mon amour et la raison. Je continuais de penser à Fidel, mais je commençais à croire les personnes qui s'occupaient de moi, lesquelles prétendaient qu'il était en réalité un être diabolique, qui n'avait jamais cessé de se servir de moi.

Alex Rorke, un agent du FBI, joua en l'occurrence le rôle du « gentil », au cours de conversations qui pouvaient nous occuper du matin au soir. Il m'écoutait avec patience et me consolait. Il devint mon « grand frère », allant jusqu'à m'emmener à des offices catholiques. Contrairement à moi, Rorke était en effet très croyant. Il affirmait que Dieu ne désirait rien davantage que la mort de Fidel Castro, de sorte que l'assassiner ne constituerait aucunement un péché. Le commandant était, selon lui, l'incarnation du mal et, si on le laissait faire, il envahirait tout d'abord la base militaire de Guantánamo, puis le Honduras, le Guatemala, le Belize et, finalement, le Mexique. A partir de là, les tentacules de sa révolution se déploieraient dans toutes les directions et les hordes révolutionnaires castristes ne seraient bientôt plus qu'à deux pas du Texas et de l'Arizona.

Les agents américains étaient réellement persuadés que Fidel représentait le plus grave danger pour les États-Unis depuis Pearl Harbor et que seule son élimination physique pouvait sauver la civilisation occidentale.

Ma relation fraternelle avec Alex Rorke me semblait limpide. Je pleurais devant lui, je lui racontais mon histoire. Lui, en retour, se montrait compréhensif et protecteur. Dans le fond de son cœur, il était resté un honnête homme. Quelque temps plus tard, il fut du reste abattu par des sicaires de la CIA. Le 1er octobre 1963, il s'envola à bord de son Cessna, pour un vol de reconnaissance sur Cuba, et disparut sans laisser la moindre trace. Les États-Unis continuent de prétendre qu'il a été abattu par l'armée de l'air cubaine. Mais c'est faux. Des exilés cubains avaient placé un sac de plastic dans son avion. Sturgis lui-même me l'a dit. Rorke avait non seulement noué des relations avec la famille Kennedy, mais, surtout, il avait pris des photos de certaines unités de sabotage des Everglades. On distinguait clairement, sur l'un de ces clichés, le visage de Lee Harvey Oswald, futur assassin de John F. Kennedy. Alex avait signé là son propre arrêt de mort.

Toujours est-il qu'au printemps 1960, Alex Rorke faisait tout son possible pour me persuader de tuer Fidel. Il me montra le rapport médical selon lequel, suite au brutal avortement subi à La Havane, je resterais à jamais stérile... Ce n'était là – j'en prendrais conscience par la suite – qu'une des nombreuses « preuves » frelatées grâce auxquelles ils cherchaient à m'attirer de leur côté.

Ils m'amenèrent à exécrer profondément Fidel, tant ils savaient se montrer convaincants. Leur cruauté était sans bornes. C'est ainsi qu'ils me montrèrent la photo d'un nouveau-né mutilé, gisant sur un dessus-de-lit ensanglanté. Ils m'affirmèrent que ce cliché avait été pris à La Havane par un de leurs agents, infiltré dans l'entourage de Castro. « Cela ne te dit rien, tu ne reconnais pas ce linge ? » De fait, le tissu ressemblait à celui du couvre-lit de notre chambre du Habana Libre. Ils m'exprimèrent leurs condoléances pour ce que m'avait infligé ce « bâtard de communiste », et conclurent : « Il est temps de le faire payer ! »

Pour ma part, je gardais le silence. Ils avaient beau se montrer fort convaincants, je conservais des doutes. Je voulus alors connaître, de la bouche même de Fidel, ce qu'il était advenu de mon enfant.

Ce lavage de cerveau se poursuivit durant des semaines, avec une interruption d'un mois et demi que je passai en Allemagne. Mon père, outré de ce qui m'était arrivé, voulait me faire examiner par les meilleurs médecins allemands. Mais, à Bremerhaven, il ne se passa pas un jour sans que je reçoive une lettre d'Alex Rorke m'informant de la progression des activités anticastristes.

De retour à New York, le lavage de cerveau reprit de plus belle. Je jouais le jeu, mais cherchais aussi à deviner leurs véritables intentions. Du fond du cœur, je continuais d'aimer Fidel. Il fallait que je le prévienne, que je le sauve.

Je fus ensuite emmenée à Miami, où je suivis un programme d'instruction militaire. On me remit une tenue noire pour l'entraînement, un P.38 et de faux papiers d'identité. Je me réveillais chaque matin dans un univers entièrement masculin et oubliais peu à peu qui j'étais vraiment, pour penser, réagir, manger, dormir comme un agent clandestin. Je me contraignis à m'accommoder de tout cela et à me défaire de tout comportement féminin. J'étais en mission. On me soumit aux plus rigoureux tests d'endurance, qui me préparaient à passer à l'action.

Plusieurs centaines d'exilés cubains s'entraînaient en Floride aux côtés de mercenaires américains. Ils n'avaient qu'un objectif : envahir l'île, même s'ils savaient bien qu'ils n'y seraient aucunement accueillis en libérateurs. Le peuple aimait Fidel. C'est pourquoi les Américains entendaient liquider le commandant avant de déclencher l'invasion de Cuba. Cet attentat exigeait la création d'une unité clandestine, l'« Opération 40 », dont Frank Sturgis prit le commandement.

Après avoir prêté serment sur le sang, je fus affectée à cette unité. Frank Sturgis ne cessait de me répéter : « Il n'y a que toi qui puisses le faire, toi seule es en mesure d'éviter la guerre. Marita, il suffit que tu retournes auprès de lui, que tu mettes un cachet dans son milk-shake puis que tu repartes. Il s'endormira naturellement, sans s'apercevoir de rien. »

C'était l'ultime étape de mon endoctrinement.

Main dans la main avec la mafia

« Lors de conversations avec des amis, Sam Giancana affirma que Fidel Castro ne tarderait pas à être éliminé. Lui-même aurait déjà rencontré trois fois les meurtriers prévus. Tout le dispositif était en place, lesdits meurtriers s'étant mis d'accord avec une jeune femme (non désignée) pour qu'elle mette un produit mortel dans un verre ou dans la nourriture de Castro. »

Extrait d'un document adressé en 1960 par John Edgar Hoover, directeur du FBI, à Richard Bissell, un haut dirigeant de la CIA.

Le 14 septembre 1960 se tient au Hilton-Plaza de Central Park, à New York, une réunion mémorable. La CIA y a convié le « diplomate » de la mafia, John Rosselli, pour évoquer avec lui une éventuelle collaboration concernant l'assassinat de Fidel Castro.

Participent à la négociation, du côté de la CIA, James O'Connell, chef adjoint de la section des opérations, ainsi que Robert Maheu, détective privé et homme de confiance de la CIA pour tous les « dirty tricks[1] ». C'est du reste Bob Maheu qui avait pris contact avec la mafia pour le compte du gouvernement américain.

Robert Maheu est aujourd'hui âgé de quatre-vingt-quatre ans et vit à Las Vegas. Cet authentique fossile de la guerre froide me confirme, lors de notre rencontre, l'implication du gouvernement américain dans cette opération. La CIA a en effet sollicité la mafia, car celle-ci disposait, à La Havane, de puissants contacts (voir en page suivante le document qui prouve ces contacts). De plus, un tel pacte ne pouvait que convenir à l'organisation, le renversement de Castro lui permettant d'espérer remettre la main sur les casinos – et d'en tirer de nouveau quelque cent millions de dollars par an. En échange de cette collaboration, la mafia espérait également un acharnement moindre de la part du ministère de la Justice.

Cette mission avait quelque peu effrayé Bob Maheu : « Quand on me demanda de jouer ce rôle, je demandai un temps de réflexion. Avec un peu de musique d'ambiance et un bon verre, je tentai de peser le pour et le contre. J'étais inquiet pour moi et pour ma famille. Je ne cessais de me poser cette question : que se passerait-il si jamais la mafia faisait par la suite pression sur le gouvernement en se servant de cette affaire ? Il faudrait bien alors que je commette un faux témoignage et prétende que ce contact n'avait jamais eu lieu. Mais c'est alors moi-même qui aurais la mafia sur le dos... »

Bob accepta finalement ce travail. D'après ses dires, John Rosselli, lors d'une première rencontre au Brown Derby de Beverly Hills, avait d'abord cru à une plaisanterie. Cependant, à mesure qu'il comprenait mieux toute

---

1. Littéralement, les « sales coups ». Terme qui, dans le milieu des renseignements, désigne les opérations les plus inavouables.

*l'importance que le gouvernement accordait à l'affaire,
il avait souscrit au projet, pour finalement accepter,
sous réserve qu'un personnage « plus haut placé » que lui
dans l'organisation donne son aval. Rosselli refusa, en
revanche, les 50 000 dollars que lui proposait O'Connell,
de la section des opérations. Selon les souvenirs de Bob
Maheu, il aurait expliqué que l'élimination de Castro était
moins une question de gros sous que d'esprit patriotique.*

24 June 1966

MEMORANDUM FOR: Deputy Director of Central Intelligence

SUBJECT   : MAHEU, Robert A.

1. This memorandum is for <u>information</u> only.

2. In August 1960, Mr. Richard M. Bissell approached
Colonel Sheffield Edwards to determine if the Office of Security
had assets that may assist in a sensitive mission requiring
gangster-type action. The mission target was the liquidation of
Fidel Castro.

3. Because of its extreme sensitivity, only a small group
was made privy to the project. The DCI was briefed and gave his
approval. Colonel J. C. King, Chief, WH Division, was briefed,
but all details were deliberately concealed from any of the
JMWAVE officials. Certain TSD and Commo personnel partici-
pated in the initial planning stages, but were not witting of the
purpose of the mission.

4. Robert A. Maheu was contacted, briefed generally on
the project, and requested to ascertain if he could develop an en-
tree into the gangster elements as the first step toward accom-
plishing the desired goal.

5. Mr. Maheu advised that he had met one Johnny Roselli
on several occasions while visiting Las Vegas. He only knew
him casually through clients, but was given to understand that
he was a high-ranking member of the "syndicate" and controlled
all of the ice-making machines on the Strip. Maheu reasoned
that, if Roselli was in fact a member of the clan, he undoubtedly
had connections leading into the Cuban gambling interests.

#11

*Un homme, que Rosselli lui présenta comme étant
« John Gold », assista à leur deuxième rencontre, à*

Miami. Il s'agissait en réalité de Sam Giancana, le puissant successeur d'Al Capone à Chicago. Plusieurs entrevues ultérieures, au Fontainebleau de Miami Beach, permirent d'élaborer plus en détail le projet d'attentat. La CIA envisageait un traquenard d'envergure, dans lequel auraient été abattus Fidel, son frère et plusieurs cadres dirigeants. Mais la mafia estimait ce projet trop dangereux : un tel scénario n'aurait pas permis aux attentats de demeurer mystérieux.

Rosselli préconisait une solution « propre et soignée », d'autant qu'ils disposaient de la personne en mesure d'empoisonner Castro. O'Connell répondit alors que les laboratoires de la CIA (qu'Allen Dulles, non sans cynisme, appelait le « département des modifications sanitaires ») avaient mis au point de nouvelles capsules de poison, à base de botuline, qui provoquaient une léthargie létale.

Bob Maheu en arrive maintenant au terme de sa version, d'ailleurs corroborée en 1975 par une commission interne d'enquête sur les opérations illégales de la CIA. Le gouvernement lui confia ces cachets. Il aurait alors pris l'avion pour Miami, avec, dans sa poche de pantalon, deux de ces comprimés, et se serait rendu à l'hôtel Fontainebleau pour les remettre à Rosselli. En revanche, Maheu ignorait à l'époque quand devait avoir lieu l'assassinat. Et c'est seulement des années plus tard qu'il apprit que Marita Lorenz avait été choisie pour le mener à bien.

Je demande à Bob Maheu s'il n'a jamais eu le moindre remords d'avoir été mêlé à une tentative de meurtre contre un chef d'État étranger. Il n'hésite pas une seconde : « Je ne regrette rien. Si pendant la Seconde Guerre mondiale nous avions trouvé l'occasion d'exécuter Hitler dans son bunker, nous l'aurions évidemment fait. Il en allait de même pour Castro, une telle action aurait épargné bien des souffrances au peuple cubain. »

Toutefois, Maheu ne peut cacher une certaine admiration à l'égard de Castro. Au bout du compte, cet homme n'a-t-il pas survécu à des douzaines d'attentats, et vu se succéder dix présidents américains? « Quand même coriace, ce type! »

L'attentat

Mes supérieurs m'avaient promis un virement de deux millions de dollars sur un compte suisse, si je parvenais à tuer Fidel. Ils savaient que j'avais survécu au camp de concentration de Bergen-Belsen. Ils me disaient pour me persuader : « Ces épreuves ont aguerri ton caractère, t'ont rendue capable de tout endurer, tu seras une héroïne, tout comme ta mère. »

Après ces longs mois de préparation et d'entretiens, ils étaient persuadés que j'étais devenue leur robot, que je faisais partie des leurs. Ma mission était devenue primordiale et, comme tout désormais dépendait de moi, ils me traitaient avec les plus grands égards. Il ne me restait plus, pour me préparer intérieurement, que trois jours, au cours desquels je tentai de me persuader moi-même : « Oui, je vais le faire ! Fidel l'a bien mérité. Il m'a abandonnée. Il m'a arraché mon enfant. Maintenant, il doit payer. » Mon esprit bouillonnait. Si seulement j'avais pu parler de tout cela à ma mère, ou à papa ! Je passai ces dernières nuits sans trouver le sommeil. Je voyais le visage de Fidel m'apparaître, puis j'imaginais le fabuleux accueil qui m'attendrait à Miami si j'accomplissais ma mission. Il était en mon pouvoir de modifier le cours de l'Histoire ! Et je ne voyais pas d'autre issue. J'étais trop engagée dans cette affaire. Une terreur affreuse m'envahissait, mais je me disais : advienne que pourra, une fois là-bas, je trouverai la solution...

Arriva enfin le grand jour. Dans l'avion de la Cubana, qui à l'époque assurait encore une liaison quotidienne entre Miami et La Havane, j'étais désormais livrée à moi-même, laissant derrière moi une armée invisible. Je jouais de mon mieux le rôle d'une touriste qui, comme les autres passagers, allait simplement faire un tour à Cuba. Avant que l'appareil ne décolle, j'aperçus par le hublot le visage d'Alex Rorke. Il souriait, mais on le sentait préoccupé. Il eut ce geste qui semblait vouloir dire : « Pour Dieu et pour la Patrie ! »

Dès que l'avion eut décollé, je me sentis envahie par la crainte d'être démasquée dès mon arrivée. D'autant que mes chefs m'avaient recommandé d'appeler Celia Sánchez. « Fais-lui savoir que tu viens à Cuba, c'est le plus sûr. » Je sortis alors les deux cachets mortels de la petite poche spécialement cousue à mon pantalon, me munis de mon vanity-case et gagnai les toilettes. Où donc cacher ces pastilles ? Dans mon appareil photo, dans mes chaussettes, dans ma petite radio ? Non ! L'atterrissage n'allait plus tarder. J'étais moite de peur. Je décidai soudain d'envelopper les cachets dans du papier toilette et de les mettre dans un pot de crème de beauté, ce qui, comme je m'en apercevrais plus tard, les humidifierait et les ferait fondre lentement.

Pendant la descente, je redécouvris par le hublot la merveilleuse côte de la « Perle des Antilles ». Sur la longue plage de sable pâle, venaient s'alanguir d'impétueuses vagues émeraude. Ce tableau me fit monter les larmes aux yeux. Non, mon Dieu, jamais je ne serais capable...

Je descendis à l'hôtel Colina, pris une douche et revêtis l'uniforme de l'armée rebelle. Comme j'avais encore un peu de temps devant moi, je m'allongeai sur le lit et contemplai le ventilateur, tentant de dominer mes pensées. Ce jour-là, je n'avais pas pris mes tranquillisants et je me sentais étreinte par une peur panique. J'entendais monter de la rue le cri d'un marchand de journaux. Des groupes de jeunes, sur les trottoirs, parlaient de Fidel et de la révolution. Une chose était certaine : Fidel Castro était aimé et chacun, ici, se souciait de lui. J'avais beau tourner le problème dans tous les sens : quelle que soit la façon dont j'agirais, ce serait moi la grande perdante.

Je pleurais, je m'arrachais les cheveux. Qui donc avait versé je ne sais quelle cochonnerie dans mon verre de lait, en octobre 1959 ? Je m'en voulais terriblement de ne pas avoir pu alors sauver mon enfant. Et il me semblait maintenant que quelqu'un devait, en effet, payer ce crime de sa propre existence. Au fond de mon cœur, pourtant, je n'arrivais pas à croire à la culpabilité de Fidel. Il aurait été incapable de seulement envisager de nous tuer, notre enfant et moi.

Je me levai d'un bond. Il fallait que je voie Fidel tout de suite, que je lui demande enfin des comptes. Puis me vint à l'esprit une pensée complètement différente : qu'adviendrait-il si je le trouvais, dans sa suite, au côté d'une autre femme ? Sans doute serais-je alors si jalouse que je les abattrais sur-le-champ, l'un et l'autre, avant de retourner l'arme contre moi. Cela aurait certes fort bien convenu à la CIA : une solution globale, en quelque sorte, un crime passionnel, sans motif politique – et sans plus de témoin…

Mais Fidel entra seul dans sa suite, où je l'attendais depuis un bon moment déjà. Quelques minutes auparavant, j'avais sorti les funestes pilules de mon pot de crème et les avais jetées dans le bidet, que je vidai en me disant : « De toute façon, elles sont fichues… Et puis c'est à l'Histoire de faire son chemin. Cette guerre n'est pas la mienne. »

En pénétrant dans la pièce, ses premiers mots furent : « Qu'est-ce que tu viens faire ici ? C'est pour me tuer, peut-être ? » Sans hésiter, je lui répondis : « Oui, mon chéri, c'est pour ça que je suis venue. » Nul doute, il était parfaitement au courant. Ses agents de la sûreté cubaine avaient des informateurs au sein des principales organisations de l'exil cubain. Fidel était au courant de tout.

« Personne ne peut me tuer »

Fidel était couché sur le lit, tout habillé, le cigare à la bouche, les yeux fermés. Je m'assis devant lui, les joues baignées de larmes. Il s'en aperçut et saisit son revolver, qu'il avait comme d'habitude accroché à la ceinture. Refermant les yeux, il me le tendit : « Eh bien, pourquoi attendre, liquide-moi. » Je pointai sur lui l'arme chargée, un 45 bleu nuit à crosse de nacre. Fidel ne montrait aucun signe de nervosité et paraissait ne pas me prêter la moindre attention, au point que c'en était blessant. Il ajouta : « Tu ne peux pas me tuer, personne ne le peut. » Puis il s'endormit.

Son sommeil fut bref et agité. En se réveillant, il me jura n'avoir été pour rien dans cette affaire d'accouchement prématuré. Il avait lui-même donné l'ordre de fusiller le médecin ; notre fils, Andrés, avait miraculeusement survécu. Mais cela devait rester entre nous, car il ne voulait pas que la CIA se serve de cette histoire à des fins de propagande. Attendrie, je ne demandais qu'à le croire.

Bien entendu, nous nous retrouvâmes dans les bras l'un de l'autre et nous fîmes l'amour... Après, seulement, je me souvins que j'étais venue là pour l'assassiner. Quelle aberration ! Avec tous les projets et l'ambition qu'il nourrissait pour Cuba ! Fidel me dit ensuite que je pouvais rester à La Havane, mais qu'en aucune manière Andrés ne pourrait quitter l'île. Mais je n'aurais qu'à épouser un Cubain, poursuivre mes études. Je me sentais déchirée. Rester? Repartir? Je savais que les agents de la CIA étaient partout, même à Cuba. Si je ne rentrais pas aux États-Unis, ma vie serait constamment en danger.

Fidel était pressé, il devait tenir le soir même un discours à la télévision. A Miami, tous écoutaient certainement leurs postes en espérant apprendre que cette allocution était reportée. Cela aurait été pour eux le signal décisif : elle a réussi, nous pouvons maintenant envahir Cuba !

J'avais pour consigne de reprendre l'avion de 19 heures. Si l'on ne me voyait pas arriver, un commando de la CIA viendrait à mon secours. C'est du moins ce que l'on m'avait promis, mais j'ai bien compris par la suite qu'en aucun cas ils ne seraient intervenus. Jamais je n'aurais survécu. Ou bien ses propres partisans m'auraient attrapée, ou bien la CIA elle-même m'aurait liquidée – ne pouvant laisser en vie l'auteur d'un tel crime.

Je déposai sur la table de nuit les 6 000 dollars que l'on m'avait remis au cas où j'aurais eu à soudoyer un « barbu », pour qu'il me laissât entrer dans la suite de Fidel. Puis je descendis. En traversant le hall, je pleurais d'avoir si vite dû me séparer, peut-être à tout jamais, de mon commandant adoré. Je savais aussi combien ma situation était délicate. Qu'allait-il advenir de moi ? J'avais pitoyablement échoué.

A la porte de l'hôtel se tenait un agent de la CIA, un journal à la main. Il me fit un signe de la tête, que je lui rendis. Sans doute, à me voir ainsi en larmes, pensa-t-il que je venais bel et bien d'assassiner Fidel...

A l'aéroport de Miami m'attendaient mes instructeurs, dans une rage folle. Quel triomphe, en effet ! Ils avaient entendu le discours de Fidel à la télé et bouillaient de colère. Jamais ils n'avaient été aussi près de toucher au but, et voilà que j'avais tout fait échouer. Je fus interrogée toute la journée. J'expliquai que les comprimés avaient fondu et ne pouvaient plus servir à rien. Ils me tourmentaient : « A cause de ton lamentable échec, ça va être la guerre. Et par ta faute ! » De fait, suite à ma visite, Fidel fit massacrer tous les Marines de Guantánamo. Le canal de Panama était perdu.

Quand ils me demandèrent de leur restituer les 6 000 dollars qu'ils m'avaient confiés pour cette expédition, j'avouai les avoir laissés sur la table de nuit de Fidel. Alors, ils me frappèrent : « Non seulement tu te remets à coucher avec ce bâtard de communiste, mais en plus tu le payes pour ça ! » Mes employeurs en vinrent à conclure que j'étais décidément anormale. Ils ne songèrent pas un instant que je pouvais encore l'aimer.

Par la suite, ils veillèrent à me laisser dans l'indigence et ne cessèrent de me harceler. J'en savais beaucoup trop sur une tentative de meurtre dans laquelle était impliqué le gouvernement américain. J'avais eu accès à d'importants secrets d'État et connaissais sous leur véritable identité de nombreux individus qui participaient à la sale guerre contre Cuba. Aussi n'avais-je pas d'autre choix, je devais continuer à collaborer. On peut assez facilement entrer à la CIA, mais on n'en ressort jamais, ou alors dans un cercueil.

4

JANE BOND EN FLORIDE

J'ai bien souvent songé à laisser derrière moi cet univers absurde pour me réinsérer dans la vie civile. Mais ce n'était pas si simple : j'en savais trop, et ils ne me faisaient plus confiance. Je dois aussi reconnaître que, d'une certaine façon, ces mercenaires étaient devenus pour moi un peu comme une famille. Mon père ne cessait de naviguer, ma mère se trouvait alors en Éthiopie pour une mission clandestine. Et l'on finit par me réadmettre au camp d'entraînement pour que j'y fasse à nouveau mes preuves.

La vie au camp comportait aussi sa part de plaisirs. Nous étions jeunes, avions de l'argent plein les poches, allions faire la fête à Miami dans les boîtes de nuit et les soirées privées, bref nous vivions une existence de *happy bandits*. Au nom de la « sûreté de l'État », tout nous était permis : enfreindre les lois, confisquer des armes ou des bateaux, entrer ou sortir du pays à volonté et même, s'il le fallait, assassiner. En Floride, la loi c'était nous. Je vivais là comme un James Bond féminin.

L'Intraitable Allemande

Je prenais plaisir, pendant l'entraînement, à me montrer méchante et dure, ce qui me valut bientôt d'être surnommée « l'Intraitable Allemande ». J'endurais les situations difficiles mieux que la plupart des « brigadistes » les plus endurcis, je dégainais plus vite qu'eux, je supportais plus facilement les brutaux changements climatiques. Je ne rechignais pas si l'on m'ordonnait de ramper dans les marécages des Everglades, avec un sac à dos de cinquante kilos. Une épreuve de courage consistait à plonger la main, cinq secondes entières, dans un panier plein de serpents à sonnette, et jamais on ne me vit ciller.

Je ne me plaignais pas non plus, j'exécutais tous les ordres. J'avais banni de mon existence tout ce qui me constituait en tant qu'individu. C'était bien simple : dès lors que je me conformais strictement au règlement militaire, je pouvais vivre sans tenir le moindre compte de mes sentiments.

Mon intime amour pour Fidel et l'épaisse enveloppe de dollars que me remettait chaque mois « Eduardo » (Howard Hunt) pour le compte de la CIA, régulaient mon existence, qui restait supportable. J'appris beaucoup de choses : camouflage, techniques de meurtre, transport d'explosifs, sabotage sous-marin, vol d'armes...

Dans les bâtiments de la sécurité, nous préparions des paquets de tracts proclamant : « A bas Fidel, le feu aux usines et aux ponts, pain et liberté pour le peuple ! » Ils étaient signés « *Operación fantasma* ». Frank Sturgis m'emmenait souvent avec lui quand il prenait son propre appareil pour larguer ces tracts. C'était assez amusant de se tenir dans cette étroite carlingue. Il suffisait de défaire les nœuds et l'on voyait voleter les tracts au-dessous de l'avion. Au verso de pas mal de feuilles, j'avais écrit de ma main : « Fidel, je t'aime, ton Alemana ! » Quand je le rencontrai à nouveau, en 1981, cette anecdote le fit beaucoup rire.

La guerre de Kennedy

C'est le 16 avril 1961 que furent arrêtés les derniers préparatifs de l'invasion de Cuba et que John F. Kennedy donna son feu vert à l'intervention militaire. Le tout jeune président, en poste depuis trois mois, reconnut par la suite que la bataille de la baie des Cochons s'était soldée par une effarante défaite, un véritable Waterloo. L'armée d'exilés cubains, mise sur pied et entraînée par le gouvernement américain, fut réduite à néant par les milices de Fidel Castro, en à peine plus de trois jours. Le soulèvement du peuple cubain, duquel on attendait tant, n'eut pas lieu, et même la fameuse « Opération 40 » de Sturgis échoua, qui ne parvint pas à faire abattre les chefs de la révolution et à priver celle-ci de sa direction. Mais Fidel Castro avait été tenu informé, grâce aux espions infiltrés dans les organisations de l'exil cubain, de l'invasion imminente.

Dès qu'il reçut du front des informations affolantes, Kennedy fit marche arrière et renonça à envoyer les avions de combat américains qui auraient dû soutenir l'assaut, comme il avait été prévu de le faire. Il lui faudrait en outre consentir à racheter à Castro les quelque mille survivants de la « brigade 2506 », moyennant l'envoi de médicaments pour un montant de 53 millions de dollars. Lors d'un discours tenu en décembre 1962, dans le stade de Miami, Kennedy promit solennellement aux « brigadistes » ainsi récupérés de leur restituer un jour leur étendard dans une « Havane libérée ». Mais les exilés cubains ne lui faisaient plus confiance. Les plus extrémistes d'entre eux considèrent même le président américain comme « un traître » qui cherche des arrangements avec le communisme. Leur façon de voir n'est du reste pas entièrement dépourvue de fondement : après la crise des missiles d'octobre 1962, qui a failli déclencher *une guerre nucléaire mondiale, Kennedy en vient à juger parfaitement possible de parvenir à des accords avec Nikita Khrouchtchev.*

Sa proposition de coexistence pacifique excluait cependant Cuba. Kennedy poursuivit sa guerre contre le castrisme par d'autres moyens, plus sournois et plus hasardeux. C'était une guerre sale, qui pervertissait les institutions démocratiques américaines : sabotages contre des sucreries, des raffineries, des usines, assassinats politiques, agressions biologiques contre des plantations de tabac ou de canne à sucre, contre des élevages de bétail... Cette guerre n'était pas reconnue officiellement, même les dirigeants de l'armée américaine en ignoraient l'existence. Les paramilitaires de la CIA constituèrent en Floride une armée secrète d'environ cinq mille agents, exilés cubains, mafiosi, militants d'extrême droite. Cette armée de l'ombre contrevenait non seulement au statut même de la CIA, qui lui interdisait toute opération sur le territoire des États-Unis, mais surtout aux dispositions sur les stupéfiants et les armes à feu. Le bon grain de la CIA et l'ivraie de la haute pègre s'y trouvaient si intimement mêlés qu'il devint impossible de les distinguer. Chaque action était menée de telle sorte que l'on pouvait toujours trouver un démenti plausible. Même les plus importants dirigeants de la CIA n'entendirent, pour la plupart, que de vagues rumeurs sur cette armée clandestine, échappant aux structures normales de leurs services.

Cette guerre souterraine fut conduite par une « Special Operation Division », créée pour la circonstance, dont le haut quartier général se trouvait à Miami, dans un bâtiment supposé n'abriter que la station de radio « JM Wave ». Y travaillaient quelque quatre cents collaborateurs, responsables des cinq mille mercenaires. Ils percevaient leur salaire de la main à la main, les stagiaires étant payés 175 dollars par mois, les mercenaires 225, plus des allocations s'ils avaient des enfants. Il n'existait aucune sorte de contrat de travail car il ne fallait à aucun prix laisser la moindre trace écrite de ces activités. Des spécialistes confirmés de l'action secrète, tels que Frank Sturgis, Marita Lorenz ou Gerry Patrick Hemming, recevaient quant à eux, en fonction de leurs prestations, des sommes plus élevées. Ainsi Marita touchait-elle 500 dollars mensuels.

De vieux troupiers de la Seconde Guerre mondiale donnaient le ton de ce commando, et le plaisir que prenait Kennedy à cette guerre illégitime leur permettait de satisfaire leurs fantasmes à la Rambo, sans le moindre contrôle parlementaire. De plus, si l'argent venait à manquer, certaines unités relativement indépendantes de la Centrale se chargeaient d'en trouver en organisant des trafics de drogue et d'armes dans l'ensemble des Caraïbes. Cette armée de mercenaires installa des camps d'entraînement dans six États, ainsi que dans des pays amis tels que le Guatemala, le Nicaragua et le Costa Rica. Elle disposait d'un certain nombre d'avions, pour la plupart des bombardiers B-26 retapés, ainsi que d'une flottille d'embarcations et de yachts armés de canons de faible calibre.

Henry Kissinger résuma fort bien la philosophie de cette guerre insidieuse : « Je ne conçois pas que l'on puisse rester sans riposter quand ce pays devient communiste, du fait de l'irresponsabilité de sa propre population. » Cependant, le cancer qui s'était déclaré en Floride continua de se propager pendant des années dans divers corps de l'État américain. Aussi n'est-ce nullement un hasard si, en 1972, trois des responsables du scandale du Watergate – Howard Hunt, Rolando Martínez et Frank Sturgis – avaient compté parmi les meneurs de cette guerre anticubaine. Le « projet Cuba » se retournerait

comme un boomerang contre ses instigateurs et balaie-
rait Nixon de la Maison-Blanche.

Je suis retourné en Floride en compagnie de Marita
Lorenz, à la recherche d'indices. Sur les lieux les plus
importants, auxquels on ne pouvait guère accéder autre-
ment que par bateau, nous ne retrouvons que quelques
vestiges de baraquements en bois – les débris des « bâti-
ments de sécurité », dans lesquels Marita et ses camarades
avaient jadis trouvé refuge. On a du mal à imaginer
qu'un camp d'entraînement ait pu fonctionner dans de
pareilles conditions : les moustiques, les marécages et la
chaleur étouffante rendent les lieux insupportables.

Près du zoo de Miami, sur un terrain militaire à
l'accès prohibé, nous découvrons au milieu d'une jungle
d'herbes et de buissons les ruines d'une maison de
maître, dont les boiseries étaient sans doute blanches :
l'ancien quartier général de la CIA pendant la guerre
clandestine contre Cuba. Un écriteau, peint à la main,
pendouille encore devant : « Risques d'éboulement
– entrée interdite – le gouvernement fédéral. »

L'expédition des corsaires

Compte tenu du chaos qui régnait alors parmi les
exilés cubains, il n'est guère étonnant que l'invasion de
la baie des Cochons se soit soldée, le 21 avril 1961, par
un échec cuisant, et un bien inutile bain de sang. Selon
moi, c'est la CIA qui en est principalement responsable.
La Centrale, en abreuvant le président Kennedy d'éva-
luations beaucoup trop optimistes, l'avait entraîné dans
une aventure dont l'issue était prévisible dès le début.

Ce poltron de Frank Sturgis, tout comme Howard
Hunt, Harvey Oswald et d'autres conseillers, firent
preuve d'une navrante impéritie. C'est en toute connaissance de cause qu'ils envoyèrent à la débâcle les

Cubains de Miami, qui leur faisaient confiance. Tous ces hommes furent tués ou faits prisonniers. Le sort qu'ils subirent suffit à démontrer combien ce genre de guerres furtives menées par la CIA ne peut déboucher que sur des fiascos.

La déroute de la baie des Cochons n'empêcha pas nos activités de se poursuivre comme si de rien n'était. Je continuai donc à jouer à la guerre. Contre quel ennemi, en vérité, et pourquoi ? Peut-être poursuivais-je une guerre intérieure ? Oui, il y avait là comme de l'autodestruction, j'y trouvais une certaine délectation. Et j'adorais prendre des risques, j'aimais l'aventure et la provocation. J'étais infatigable par nature.

J'étais la seule et unique femme, et il m'arriva bien sûr, plus d'une fois, d'être abordée comme telle. Un jour que ces incessantes tentatives de flirt m'étaient devenues particulièrement insupportables, je montai sur une Jeep et tirai en l'air une salve, afin que tous – environ cinq cents hommes participant à des exercices de tir – prêtent bien l'oreille à ce que j'avais à leur crier : « D'accord, les gars, j'en ai rien à cirer que votre mère, votre copine ou votre sœur vous détestent. Passer une nuit parmi vous, ça m'est complètement égal. Mais le premier qui osera s'approcher de moi, je le flingue ! » A partir de ce moment-là, tous me fichèrent la paix.

J'étais spécialisée dans le transport d'armes, que nous débarquions au Guatemala, dans un camp d'entraînement nommé Camp Hilton. Au cours de ces opérations, c'était moi qui menais le bateau et donnais des ordres à l'équipage. « Cette femme sait fichtrement bien naviguer », constataient souvent avec admiration mes compagnons de bord. Je scrutais l'horizon, admirant en même temps, sur les flots, le scintillement des requins, les cabrioles des poissons volants. Dans ces eaux frayaient jadis des transports à voiles, toujours menacés par les pirates. Je rêvassais aux histoires que papa m'avait jadis racontées, sur les rapports entre le dieu Neptune et la mer. Celle-ci était comme toutes les femmes, disait papa : imprévisible. Malheureusement, je n'étais pas le capitaine d'un honnête navire de fret, mais un pirate des temps modernes, colporteur de mort. Mon « Bounty » de 37 pieds était lourdement chargé de caisses d'armes automatiques. J'étais parfois si furieuse de me laisser ainsi utiliser que je rêvais de faire volontairement chavirer un de ces yachts, imaginant combien Fidel en serait heureux. Ou bien, de me servir d'un bateau de la CIA pour déserter et retourner à Cuba.

Les bateaux dont nous nous servions étaient purement et simplement volés. C'était un jeu d'enfant. Nous choisissions un yacht à Miami et revenions de nuit avec trois canots et six hommes vêtus d'une combinaison de plongée et de lunettes de protection, équipés de chalumeaux étanches. Un de nos canots restait en permanence à quai, avec deux hommes munis de talkies-walkies et de jumelles pour faire le guet. Les autres ramaient jusqu'au bateau. L'un de nous s'occupait de l'ancre, tandis qu'un homme montait à bord pour éteindre les feux de position. Puis nous entraînions le bateau sans le moindre bruit. A notre nouveau point d'ancrage nous attendaient des mécaniciens qui, munis des plans du bateau que nous leur avions procurés, commençaient immédiatement les transformations. Au matin, le yacht était méconnaissable. Il avait été transformé selon nos besoins et entièrement repeint. Ces détournements de bateaux m'amusaient beaucoup, mais les vols d'armes étaient plus difficiles à mener à bien.

Quand nous nous rendions dans un dépôt militaire, nous emportions dans nos voitures tout ce dont nous avions besoin : cordages, épais filins de nylon, lampes de poche, sérum contre les morsures de serpents, hachettes – mais également bâillons et sparadrap, grenades, torches, dynamite... Nous stationnions toujours nos voitures à quelque distance du dépôt, de sorte que les gardiens n'apercevaient que la mienne. Je descendais, tout sourire, allais trouver la sentinelle et lui racontais que j'étais tombée en panne. Pendant que je flirtais un peu avec le soldat, mes complices se faufilaient près de lui et le mettaient hors de combat. J'insistais toujours pour qu'il soit simplement chloroformé. Les hommes franchissaient ensuite le portail, tandis que je demeurais auprès des voitures. De tels vols d'armes étaient alors monnaie courante mais les autorités n'en rendaient compte que rarement : il n'était pas question que ces agissements de la CIA servent d'exemple à d'éventuels terroristes ou extrémistes.

Il n'était pas rare non plus que la police locale se lance à nos trousses. Cela m'arriva un jour, alors que j'étais à la tête d'un camion bourré d'armes. Il me suffit de donner un certain numéro de téléphone, et l'affaire fut réglée sur-le-champ : ces policiers n'avaient rien vu, n'étaient au courant de rien.

La mort dans les Everglades

La vie que nous menions dans les Everglades me déplaisait profondément, même si j'étais contente d'être une combattante. J'aimais bien mes camarades, pour la plupart de jeunes Cubains manifestement anxieux et défaitistes, mais toujours aiguillonnés par le rêve de retrouver un jour leur chère patrie. Pourtant, je me demandais souvent s'ils se battaient vraiment pour « la cause ». Ils vociféraient et juraient de noyer les castristes dans un bain de sang, mais profitaient abondamment des largesses de la CIA, si bien que j'étais de moins en moins convaincue de la noblesse de leurs motivations.

Il se trouvait certes parmi eux des combattants de bonne foi, pour la plupart issus de familles cubaines de grands propriétaires terriens, qui faisaient preuve d'un professionnalisme et d'une formation remarquables. Il n'en demeure pas moins qu'en 1959 et 1960 le gouvernement de Fidel, mal organisé, avait commis de très graves erreurs qui avaient fait pencher nombre de Cubains du côté de la rébellion, certaines expropriations s'étant effectuées sans aucun motif valable. Et beaucoup des combattants de la première heure avaient été remplacés par des opportunistes ambitieux, mais incompétents, auxquels se mêlaient des criminels, des hommes de la mafia et des complices de Batista, le dictateur déchu. J'étais de plus en plus mécontente de constater que le mouvement anticastriste, cette espèce de patchwork, se trouvait totalement désorganisé, éparpillé en groupes rivaux. Entre les différents chefs régnaient de féroces jalousies, surtout pour le partage des sommes que nous versaient la CIA, des magnats du pétrole et plusieurs dictatures sud-américaines.

Il m'arriva un jour de participer, sans l'avoir en rien cherché, à la liquidation de membres d'un groupe rival. C'étaient des hommes de Rolando Masferrer, que Sturgis détestait. Sous Batista, Masferrer, sénateur et grand bandit, avait été chargé de nombreux assassinats politiques. Frank nous avait pourtant assurés qu'il s'agissait d'un exercice de routine et que nos armes étaient chargées à blanc. Nous nous approchâmes donc, aussi silencieusement qu'à l'habitude, jusqu'à cette douzaine d'hommes et leur tirâmes dessus. C'est seulement en les voyant rester à terre que nous comprîmes que Sturgis s'était servi de nous pour commettre une exécution collective. Il fit jeter les cadavres dans les marécages. Ma collaboration à cet homicide me pèse encore aujourd'hui sur la conscience.

Seul Gerry Patrick Hemming se montrait plus réfléchi que les autres conseillers. Ce géant taciturne était un véritable soldat, un excellent parachutiste et un bon instructeur. Je lui dois beaucoup de ce que j'ai appris : le close-combat, les techniques de survie...

Gerry Hemming

Gerry Patrick Hemming, unique dirigeant encore en vie de la guerre contre Cuba, accepte de me parler de son passé. J'ai retrouvé sa trace à Fayetteville, en Caroline du Nord, où se trouve stationnée la 82ᵉ division de l'armée de l'air américaine.

Gerry Patrick Hemming est à l'article de la mort, aussi nos discussions se déroulent-elles à l'hôpital militaire. C'est toujours un colosse, mais sa maladie lui a fait perdre cinquante kilos. C'est le prototype même du soldat. Notre conversation n'a pas lieu en tête-à-tête. La directrice de l'hôpital et quelques médecins se tiennent à nos côtés et nous interrompent lorsque, après une demi-heure environ, Hemming en vient à parler de Lee Harvey Oswald, meurtrier présumé de John Fitzgerald Kennedy.

Gerry Patrick Hemming a fait sa connaissance en 1959, sur la base d'aviation américaine d'Atsugi, au Japon. Oswald y travaillait comme expert en renseignement. Avant cela, en 1958, tout comme Sturgis, Hemming a combattu au côté de Fidel Castro dans la sierra Maestra, où il était conseiller militaire. A la fin des années soixante, il prend le commandement de l'Interpen[1]. Cela le fait rire : « En réalité, l'Interpen était une organisation fantôme, une simple appellation pour dissimuler toutes sortes d'opérations clandestines qu'il n'était

_____

1. « Brigade internationale de pénétration anticommuniste », qui manœuvrait contre Cuba à partir de la Floride et du Guatemala.

pas possible d'entreprendre dans le cadre officiel de la CIA. Il fallait en effet pouvoir en démentir l'existence. » Hemming *fréquente ensuite les cercles de la sûreté cubaine et, en raison de sa relation déjà ancienne avec Lee Harvey Oswald, se trouve impliqué dans l'attentat contre John Fitzgerald Kennedy, en novembre 1963.*

Ne sachant trop comment il réagirait si je prononçais le nom de Marita Lorenz, je me contente de lui demander si la « guerre masquée » lui semble avoir obtenu des succès. Il me répond de façon stupéfiante : « Cette guerre a été parfaitement inutile. La faute en revient au gouvernement d'Eisenhower et notamment à Richard Nixon. Ce sont eux qui ont poussé Castro dans les bras des Soviétiques. Fidel, que je connais fort bien grâce aux nombreux moments que nous avons partagés dans l'armée rebelle, considérait les Russes comme des balourds. En fait, il n'avait aucune envie de frayer avec eux. »

Selon Hemming, Fidel n'aurait jamais été communiste, seulement « nazi ». Hemming prononce ce mot en allemand et, voyant mon air ahuri, précise : « Dans les montagnes, il avait toujours à portée de main le Mein Kampf *de Hitler. Plus que tout, c'était un nationaliste. »* Hemming *ajoute qu'il aurait été parfaitement possible de s'entendre avec Castro, mais le gouvernement américain avait soutenu les intérêts des grandes compagnies, sans développer la moindre analyse politique.*

Avec précaution, j'aborde le point qui m'intéresse et demande à Gerry Patrick Hemming s'il y avait des agents secrets de sexe féminin dans cette guerre contre Cuba. Son visage s'attendrit : « Oh oui, nous avons toujours compté dans nos rangs Marita Lorenz… Mais, comme nous étions d'irréductibles machos, nous ne permettions à aucune femme de participer aux opérations de combat. »

Sturgis, affirme-t-il, avait recruté Marita à La Havane. Cependant, ayant échoué à empoisonner Fidel, elle n'était guère utilisée en tant qu'agent : « Elle traînait de-ci, de-là, elle nous préparait du café. » La seule mission qui lui fut confiée après cet échec, m'assure Gerry Hemming, concernait Marcos Pérez Jiménez, l'ex-président du Venezuela. Ce dernier, anticastriste convaincu, avait avec la mafia financé l'« Opération 40 » de Frank Sturgis, visant à exécuter les principaux dirigeants cubains. Sturgis aurait ensuite envoyé Marita chez Marcos « pour garder un œil sur lui ».

Hemming me dit avoir souvent rencontré Marita à l'aéroport, pendant que Sturgis préparait son avion pour aller lancer les tracts de propagande sur La Havane, mais il ignore si elle participait à ces vols. Il sait en revanche qu'elle ne jouait aucun rôle dans les opérations importantes. D'ailleurs, Marita n'avait-elle pas été la fiancée de Fidel ? Lui-même, Hemming, n'avait jamais eu confiance en elle et ce qu'il n'aimait pas, c'est qu'elle parlait trop. Mais, cela mis à part, il avoue avoir eu de l'affection pour elle.

Le vieil homme sourit d'un air malicieux et ajoute : « Marita était un agent du Mossad, elle travaillait pour les services secrets israéliens. » Je ne puis m'empêcher d'éclater de rire, tant j'en perds mon latin. Mais Hemming redevient sérieux : selon les informations dont il dispose, Marita aurait été recrutée par le Mossad « sous faux pavillon », c'est-à-dire sans savoir pour qui elle travaillait. Les Israéliens ne recrutaient jamais directement leurs agents contractuels à l'étranger. Ils avaient pour principe de se présenter comme des agents de pays tiers, de façon à pouvoir, en cas de coup dur, nier toute relation avec leurs informateurs : « Marita croyait travailler pour la CIA, en réalité c'était un agent du Mossad. » Les Israéliens portaient à cette époque un intérêt particulier à la situation dans les Caraïbes, et le Mossad, avec l'aide de Juifs allemands exilés en Amérique latine, y avait mis sur pied un réseau. Le Mossad aurait même déjà mis le grappin sur Marita à bord du Berlin ! Gerry Hemming savoure ma stupéfaction. Il m'explique : « La désinformation faisait partie du jeu. »

Je reviens sur les rapports entre Marcos Pérez Jiménez et Marita : ils auraient donc eu des relations intimes ? « Oui, je le sais », répond Gerry. Il se rappelle qu'un jour, dans la luxueuse villa de l'ex-président vénézuélien en exil, où il était venu négocier un soutien financier pour son propre commando anticubain, il avait vu Marita : « C'était bel et bien elle qui se tenait sur le canapé et tendait l'oreille. J'exigeai qu'elle quitte la pièce. On ne pouvait pas lui faire confiance. »

5

MON SECOND DICTATEUR : MARCOS

Lors d'un exercice de tir dans les Everglades, je fus blessée à la nuque. Comme je saignais abondamment, Frank Sturgis m'emmena chez le médecin cubain Orlando Bosch, qui soigna et pansa ma blessure. Je ne pus reprendre tout de suite l'entraînement militaire. En vérité, j'ignore si cet « accident » n'était pas une tentative pour me supprimer. Car certains de mes camarades de la CIA n'avaient pas confiance en moi : à leurs yeux, j'avais été et je restais la petite amie d'un communiste. Ceux-là ne me toléraient que parce que j'en savais trop. Ils ne me laisseraient pas repartir, je connaissais trop de noms et de projets.

Par une après-midi de juin 1961, nous étions en train de nettoyer et de graisser nos fusils sur la véranda d'un des bâtiments de sécurité, le « No Name Key », si mes souvenirs sont exacts. Frank Sturgis s'approcha de moi et dit : « Alemanita, il y a du travail pour toi. » Il me demanda de retirer mon uniforme et de m'habiller chic, car je devais le soir même aller chercher de l'argent chez un certain « général Díaz ». « Il faudra te montrer gentille avec lui, c'est une superstar de notre cause. » J'écoutai Sturgis distraitement, me curant les ongles avec mon couteau de poche. Je ne réfléchis pas davantage au contenu de cette mission car, depuis ma blessure à la tête, j'avais déjà servi plusieurs fois de courrier, tâche jusqu'alors inhabituelle pour moi. Je me souviens d'une douzaine de voyages en Amérique centrale et en Amérique du Sud, à l'occasion desquels j'étais vêtue comme une lady – laquelle transportait dans son sac de l'argent, des documents et des drogues.

Je me fis donc belle, en pantalon et escarpins blancs. J'avais l'air d'un véritable mannequin, arrosée de Chanel n° 5. Je ne transportais rien, hormis une sacoche vide et mon P.38 à la ceinture, tandis que je roulais vers Miami Beach où cet important général habitait, au 4609 Pine Tree Drive.

Le portail électronique de la splendide résidence s'ouvrit pour laisser passer ma voiture. Des lampadaires illuminaient un parc admirable, derrière lequel on apercevait un yacht immense, amarré dans l'Indian River. Un garde me mena auprès du général, un petit homme chauve. « Señor Díaz ? — Oui. S'il vous plaît, veuillez me suivre. » Il me pria de l'attendre dans une fort jolie pièce, puis revint, tenant dans une main un sac de voyage fermé, dans l'autre une bouteille de vin blanc. A sa façon de me regarder, il était clair que je lui plaisais beaucoup. Il dégageait une forte senteur d'after-shave Guerlain citronné.

Comme je me levais pour repartir, il me dit : « Non, non, Alemanita, je voudrais bavarder un peu avec toi. » Je lui demandai pourquoi il dépensait tant d'argent : le sac de voyage contenait tout de même 400 000 dollars. Sa réponse me stupéfia : « A quoi bon en parler ? Ce n'est qu'un petit cadeau pour me débarrasser de ton ancien amoureux. » Il était donc au courant de tout.

Marcos ne cessa ensuite de me pourchasser, jour après jour. Il suivait si longtemps ma voiture, à bord de sa Mercedes blanche, que je finis par capituler et acceptai de dîner avec lui. Les mets et les vins du restaurant de poissons sur Causeway Street n'étaient pas mauvais, mais j'étais excédée par cette main grassouillette qui s'appesantissait sur mon genou, sans parler des quatre gardes du corps debout autour de notre table. Je lui demandai à quoi servait une telle surveillance. Il répondit sans ambages : « En réalité, je ne suis pas du tout le général Díaz mais le général Marcos Pérez Jiménez, président du Venezuela. » « Ah, merde alors ! », m'exclamai-je étourdiment. Je lui demandai ensuite ce qu'il faisait à Miami, à quoi il répliqua : « Ce sont des vacances prolongées. » En réalité ce dictateur, balayé en 1958, avait dû fuir son pays. Le nouveau gouvernement ne cessait depuis lors de chercher à l'enlever. Déjà, sur le chemin de l'exil, on l'avait saisi en possession d'un coffre plein de bons du Trésor et de 13 millions de dollars en espèces.

Marcos avait escroqué à son pays près de 750 millions de dollars, qu'il avait déposés sur de nombreux comptes bancaires, à travers le monde, ou placés dans l'immobilier et autres secteurs. Où qu'il dût s'enfuir, il était en mesure de mener une vie de plaisir et d'appointer autant de fidèles gardes du corps que nécessaire. A cette époque-là, cependant, il n'avait pas même le droit de sortir du comté de Dade et devait se présenter chaque mois aux services d'immigration, parce qu'il était sous mandat d'arrêt pour meurtre. Il essaya de me convaincre qu'il était lui-même une sorte de Fidel Castro, mais en beaucoup plus scrupuleux. Heureusement qu'il ne pouvait lire dans mes pensées !

Ses yeux gris-vert me contemplaient amoureusement. Après sept ou huit dîners du même genre et d'innombrables cadeaux, dont des bijoux ainsi que de magnifiques peignoirs et robes de chez Lilly-Rubin, je commençai à trouver sa fréquentation agréable.

Une femme achetée

Marcos, qui me considérait manifestement comme un trophée arraché à Fidel, me promettait « un véritable amour ». J'avais secrètement entamé une formation pour devenir hôtesse de l'air à la Pan American, pour mener enfin une vie personnelle et indépendante ; ainsi commençai-je à négliger mes soupers avec ce dictateur ventru.

Un soir, alors que je revenais de mon cours à la Pan Am, il me guettait depuis sa Mercedes et me demanda en hurlant, comme un amant jaloux, où j'étais restée si longtemps. Je le regardai droit dans les yeux : « Écoute, tu ne vas pas déjà te montrer possessif ! Ce que je cherche maintenant, c'est un boulot à moi, pour me sortir de toute cette merde ! » Il répondit, indigné : « Mais je ne cherche qu'à t'aider ! Je connais très bien tes amis. Ils sont furieux que tu aies épargné la vie de Fidel et te descendront à la première occasion, crois-moi. Je t'en prie, fais-moi confiance. » J'avais bien sûr pensé à cela, même si je me refusais à croire que « mes amis » iraient jusque-là. Je répondis seulement : « J'ai faim, allons manger quelque part. »

Nous nous trouvions sous un réverbère. Il me tendit une clé : « C'est celle de ton nouveau logement. » Je ne dis rien, me sentant prise au piège, mais sortis mon revolver de la boîte à gants et lui ordonnai : « Bon, emmène-moi ! Mais si je m'aperçois que tu m'as doublée, puisque tu travailles avec Sturgis et les autres, je te descends sur-le-champ. Après quoi j'irai voir mon supérieur hiérarchique et lui dirai : "Désolée, mais j'ai dû abattre le prétendu président du Venezuela." » J'ajoutai : « Après tout, qui te dit que je ne travaille pas pour Rómulo Betancourt ? », le président vénézuélien alors en exercice, l'ennemi juré de Marcos.

Épuisée, je m'endormis pendant le trajet. Quand je me réveillai, nous avions devant nous une villa de deux étages avec un jardin magnifique. Un ponceau japonais menait à l'entrée de mon nouveau « chez-moi ». Marcos, ému comme un collégien, me prit la main pour me faire franchir la passerelle, comme si j'avais été sourde et aveugle. Lorsqu'il ouvrit la porte, je fus accueillie par un souffle d'air frais et une douce musique de harpe vénézuélienne. La décoration était des plus modernes ; tout le mobilier, blanc et pastel. Les réfrigérateurs, pleins de gourmandises. Les placards regorgeaient de vêtements neufs – féminins d'un côté, masculins de l'autre.

Il trinqua avec moi et me montra le contrat de location : une année réglée d'avance. « Très bien, dis-je, mais tout ça pour quoi ? — Pour moi », répondit-il simplement. L'excellent vin du Rhin faisant son effet, je me mis soudain hors de moi : « Dis-moi, tu ne crois quand même pas que tu m'as achetée à mon groupe pour 400 000 dollars ? » Marcos garda son calme : « Marita, s'il te plaît, tu dois me faire confiance. Je sais qu'ils veulent te liquider et moi, je peux te protéger. » Je m'efforçai de maîtriser mon émotion et de garder la tête froide. Car tout semblait coller : mon « accident » lors de l'exercice de tir, le fait d'avoir dû voyager avec des sacs bourrés d'argent et de drogue, ce qui représentait un risque considérable. Ma vie semblait de plus en plus menacée. Marcos était-il impliqué dans ce jeu, ou me voulait-il vraiment du bien ?

Je pris sa main et l'emmenai vers le rivage désert. « Marcos, à quoi est-ce qu'on joue ? Est-ce moi que l'on pousse vers toi, ou bien toi vers moi ? » Il resta impassible : « Peut-être l'un et l'autre… » Mais je compris bien, à son regard sérieux, que ni lui ni moi n'avions le choix. Nous étions des cibles. Il se contenta d'ajouter : « Mes hommes veilleront sur toi vingt-quatre heures sur vingt-quatre. » Sans autre commentaire, nous retournâmes vers la maison, vers la véritable existence de Marcos. Je m'écriai devant ses hommes, qui nous attendaient là : « Au nom de l'Allemagne, au nom du Venezuela, au nom de la paix et de la justice, au nom de l'amour : vous pouvez compter sur moi ! » Tous applaudirent, la glace était brisée. Le lendemain soir, Marcos retourna dans sa résidence, où il vivait avec son épouse, Flor, et leurs quatre filles.

Toute seule dans cette imposante demeure, je me sentais pour ainsi dire perdue. Je n'arrivais toujours pas à y croire, j'arpentais inlassablement toutes les pièces. Par les fenêtres, je pouvais voir deux gardes du corps, dans une voiture sombre stationnée devant l'entrée. Je ne pus fermer l'œil de la nuit. Il me manquait mes bottes, la routine militaire, le rugissement des fauves, l'arôme du café cubain, l'odeur des poulets grillés, et aussi mes camarades. Mais désormais j'appartenais à Marcos. J'étais tombée dans le piège en toute connaissance de cause.

La vie à ses côtés était ennuyeuse. Je ne l'aimais pas mais, le temps passant, m'accoutumais à lui, qui pour sa part se montrait toujours bienveillant à mon égard. Le plus important, c'était qu'il me protège de mon groupe, dont aucun membre ne chercha jamais à reprendre contact avec moi. Les millions de Marcos ne leur servaient-ils pas à financer leurs actions de sabotage contre Cuba ?

Il nous arrivait aussi de passer ensemble des moments vraiment heureux. Le dimanche, sur son yacht somptueux, nous nous rendions à Soldier's Key, où nous pêchions, mettions à l'eau son sous-marin miniature, faisions des paris de chasseurs – sans me vanter, je tirais bien mieux que lui. Il lui arrivait souvent d'emmener en promenade, sur son yacht luxueux, des officiers de haut rang à qui il fournissait alcools et prostituées cubaines, des « tournées d'affaires » qui ne me concernaient en rien. Je lui fis cependant clairement comprendre que, s'il n'avait aucun compte à me rendre sur son passé, quant au présent je n'accepterais pas qu'il me trompe.

Un soir, à force de boire, il s'écroula sous la table. Je me munis de gros sparadrap et en emmaillotai sa verge, puis allai me coucher. Il ne se réveilla qu'au matin et se mit aussitôt à glapir. Je le calmai et lui promis de retirer le sparadrap avec de l'alcool. Quand je commençai, il appela ses gardes du corps et leur affirma que je voulais sa mort. Je répliquai avec le plus grand calme : « Grands dieux, comment un si petit machin pourrait-il faire aussi mal ? » Marcos était capable d'encaisser ce genre de railleries. Un autre soir, alors qu'il revenait d'une de ses orgies en mer – malgré l'avertissement que je lui avais donné avec mon sparadrap –, je l'attendis sur la passerelle de débarquement, mon revolver à la main. Comme le yacht tanguait à cause des vagues, la balle frappa une pièce de métal et rebondit, l'atteignant malencontreusement au genou. Marcos ne me trompa plus jamais par la suite.

Marcos se caractérisait, non moins que Fidel, par un ego démesuré. Il ne cessait de parler de son « Venezuela adoré » où il retournerait un jour comme président, fort de son expérience passée et de l'attachement que lui portait son peuple.

Jalousie

Ayant pris dans la bibliothèque plusieurs livres consacrés à la présidence de Marcos, je ne me privai pas de lui rappeler ses hauts faits. Il avait perçu d'importantes commissions de sociétés vénézuéliennes et nord-américaines et investi ces sommes dans des hôtels de luxe et autres projets immobiliers, pendant que son peuple crevait de faim. Par ailleurs Pedro Estrada, l'ex-chef de la police vénézuélienne qui, à Miami, nous escortait en permanence, avait ouvert plusieurs effroyables centres de torture.

Je me disais : « Mon Dieu, comment est-ce possible ? Comment ce petit homme bedonnant et bigleux, au rire sonore, cet élégant sportif aux mains fines, aux ongles soignés, a-t-il pu être un aussi féroce dictateur ? » Je lui demandai un jour, sans ambages : « Combien de Vénézuéliens as-tu fait assassiner ou torturer ? » Il me regarda d'un air surpris, cilla plusieurs fois, puis répondit : « Ma chérie, tu lis trop. » Comme je ne répondais pas, il m'enjoignit de ne plus lire d'ouvrages le concernant et, pour justifier la répression qui avait marqué sa présidence, invoqua la raison d'État telle qu'il la concevait : « Même si dans un panier de pommes il n'y en a qu'une de pourrie, c'est le panier tout entier qu'il faut jeter. » Je poussai alors le bouchon plus loin : « C'est exactement ce que tu as fait. Une fois le fils arrêté, tu extermines toute la famille. Comment quelqu'un comme toi a-t-il pu agir ainsi ? » Il chercha une parade : « Si tu avais autant d'énergie qu'Evita Perón pour diriger le Venezuela à mes côtés, nous pourrions éviter ce genre d'erreurs. » Il se confectionna de nouveau un cocktail : manifestement cette discussion lui pesait. Mais je n'en avais pas terminé. Je traversais alors une sombre période et me montrais susceptible, aussi m'échappa-t-il cette phrase malheureuse : « Puisque nous ne parlons que de dictateurs, le plus humain d'entre vous deux reste Fidel. » Marcos me considéra longuement, d'un œil fixe et hostile, puis éclata de fureur. On eût dit un ivrogne. Je me sentis tout à coup aussi faible et abandonnée qu'à Bergen-Belsen. Fidel n'était rien de plus qu'un paysan stupide et inculte, hurlait-il. Si je voulais retourner auprès de lui, rien de plus facile, il me commanderait sur-le-champ un avion spécial pour que je puisse regagner La Havane et retrouver mon « répugnant amant barbu ».

Il s'était senti profondément blessé que j'aie pu le comparer à ce « bâtard » de Fidel : « Je pourrais très bien l'acheter, ce pouilleux, et toute son île avec ! Pour moi, tout continuerait comme avant ! », conclut-il, furieux. Je me levai, fis le tour de la table et l'enlaçai par derrière en murmurant : « Je suis désolée, mon chéri. » Il pressa son visage mouillé de larmes contre mon ventre et m'avoua à quel point il m'aimait. Une autre fois, il alla jusqu'à téléphoner à La Havane pour faire enrager Fidel : il lui fit savoir qu'en ce moment précis, il se trouvait au lit avec son Alemanita. Il raffolait de ce genre de persiflages.

Ce n'est qu'en 1981, bien plus tard, que je pus discuter avec Fidel de cette histoire avec Marcos. Bien des années avaient passé, mais il m'en voulait toujours d'avoir été la maîtresse du Vénézuélien. Il voulait bien tout me pardonner : la CIA, la tentative d'empoisonnement, les tracts opposés à son régime que j'avais lâchés sur La Havane. Mais pas ma compromission avec « ce petit chauve rondouillard », « ce singe merdeux », « cet assassin fasciste ».

Comparaison entre deux dictateurs

Fidel et Marcos se ressemblaient à maints égards. Moi-même, fidèle maîtresse, leur appartenais instinctivement à l'un comme à l'autre. Cependant, Fidel avait plus d'humanité, c'était quelqu'un de tendre et d'attentionné. Marcos avait une façon de faire l'amour plutôt égoïste. La chose faite, tout était dit : « Merci beaucoup… Je me sens fatigué… Il faut que je parte… »

Castro était beaucoup plus porté à exprimer ses pensées et ses sentiments que le Vénézuélien. C'était un homme pétulant, bien loin de la sorte d'apathie permanente propre à Marcos – en dehors des rares occasions où il allait jusqu'à gémir comme un bambin. Fidel, lui, n'aurait jamais fait la moindre peine à un enfant. Il aimait aussi les animaux, tous quels qu'ils fussent. Alors que Marcos pouvait se montrer tout à fait cruel. Avec Fidel, je m'étais toujours sentie jeune, vivante, reconnue. Ce qui n'a jamais cessé de m'étonner, chez l'un comme chez l'autre, c'était leur admiration pour ma patrie, l'Allemagne – y compris Adolf Hitler. Cela jouait bien sûr en ma faveur, puisque j'étais non seulement allemande mais fille d'un commandant. Tant Fidel que Marcos admiraient mon sens de la discipline, ma loyauté et mon aplomb, comme autant de qualités bien allemandes. Fidel m'écoutait avec la plus grande attention quand je lui parlais de ma vie en Allemagne pendant la Seconde Guerre mondiale. Il voulait que je l'informe des autoroutes construites sur ordre de Hitler, des Volkswagen, de la reconstruction économique après l'humiliant accord de paix de Versailles en 1919. Il appréciait beaucoup, également, que je lui fasse connaître des textes de philosophes allemands – Kant, Hegel, Schopenhauer.

De mes affreux souvenirs de Bergen-Belsen, je ne lui parlai jamais. Je ne voulais pas briser la belle image qu'il se faisait de ma patrie. Mais je ne pouvais supporter son admiration pour Adolf Hitler. Il m'avoua un jour qu'il avait lu *Mein Kampf* et souhaitait que je l'aide à acquérir une détermination idéologique comparable. Je n'hésitai pas à le contredire, lui affirmant que Hitler n'avait été qu'un défaitiste, criminel et dément. Fidel, à l'époque, écouta mon point de vue d'un air tout à fait triste et soucieux. Il souffrait de m'entendre ainsi jeter à bas ses illusions. Marcos, quant à lui, s'y résignait plus aisément, même s'il portait à Hitler une admiration tout aussi grande.

A *nouveau enceinte*

Après cette altercation sur les qualités humaines comparées des deux dictateurs, Marcos s'endormit, épuisé. Il passait toutes ses nuits avec moi. Pour ma part, je restais éveillée jusqu'au petit matin, assise auprès de lui, en pensant à mon enfant. J'étais à nouveau enceinte et n'arrivais pas à y croire : les médecins de la CIA ne m'avaient-ils pas seriné, un an plus tôt, que je serais désormais stérile ? Marcos était aux anges. Garçon ou fille, cela lui était complètement égal. Pour ma part, je m'inquiétais des questions d'hérédité. Je considérais que cet enfant ne devait appartenir qu'à moi seule. Moi seule le dorloterais, le guiderais, l'élèverais : toute mon existence serait désormais consacrée à ce merveilleux petit être.

Pendant ma grossesse, Marcos se montra incroyablement affectueux et protecteur. Souvent nous nous asseyions devant le berceau encore vide et nous amusions avec les tas de joujoux qu'il avait déjà achetés, notamment un train électrique au grand complet et toute une armée de soldats de plomb.

Les médecins avaient prévu la naissance pour le 27 février 1961, soit exactement le deuxième anniversaire de ma rencontre avec Fidel. Mais la perspective de cette naissance me faisait également beaucoup pleurer. Au neuvième mois, je me sentais de plus en plus seule et dépressive. Je ne pouvais bavarder qu'avec mes deux gardes du corps. Parfois je recevais la visite de Pedro Estrada, jadis chef des services de police de Marcos, qui me traitait toujours avec un grand respect. Il m'apportait un cadeau de Marcos, me prenait par l'épaule et me disait : « Eh bien voilà, petite mère, très bientôt tu vas offrir au général un enfant sain et vigoureux. » Pourtant, ma solitude ne faisait que croître. Un jour, j'appelai mon frère aîné Joe et lui confiai que j'allais accoucher deux jours plus tard. Quand je lui avouai qui était le père, Joe soupira : « Grands dieux, ce n'est pas vrai, encore un dictateur ! » Il rapporta la chose à ma mère, qui fondit en larmes, épouvantée.

Le lendemain, je pris l'avion pour le New Jersey. Je ne voulais pas accoucher à Miami mais à Fort Lee, chez maman. Marcos me laissa partir, escortée de quatre gardes du corps. Il me remit aussi un étui contenant un stylo à bille orné de diamants, à l'intention de ma mère, qui apparemment lui faisait un peu peur. Le 27 février passa sans que l'enfant ne naisse. Marcos souhaitait un fils, moi une fille. Cet enfant m'appartenait et j'étais certaine que ce serait une ravissante petite fille.

C'est le 9 mars 1961, par une rude tempête de neige, que naquit enfin Mónica. Je me sentais extraordinairement fière et heureuse. Quinze jours plus tard, je rentrai à Miami avec Mónica Pérez Jiménez. Entre-temps, Marcos nous avait garanti à titre anonyme deux bons au porteur, à ma fille et à moi, de 75 000 dollars chacun. Redoutant que l'on ne tente d'enlever Mónica, il fit passer à six le nombre de mes gardes du corps. Il idolâtrait cette enfant, ne cessait de la promener dans toute la propriété, allait jusqu'à changer ses langes.

L'extradition de Marcos

Toutefois, ce bonheur paternel ne fut pas de longue durée. Robert Kennedy, alors procureur général des États-Unis, déclencha, à la demande du gouvernement de Betancourt à Caracas, une procédure d'extradition contre cet homme qui, en 1960, avait tout de même apporté 20 000 dollars à la campagne électorale de son frère John Fitzgerald Kennedy. Eisenhower, encore président, lui avait d'ailleurs conféré à ce titre une décoration… Marcos, naturellement, se sentait floué.

La demande vénézuélienne se fondait sur le fait que Marcos aurait détourné de l'argent des caisses de l'État et serait personnellement responsable de l'assassinat de quatre opposants à son régime. Marcos versa des sommes importantes à des politiciens américains et à des membres des services d'immigration, en vain. Par un matin de décembre 1962, des officiers fédéraux vinrent le tirer du lit pour le mener à la prison du comté de Dade, dans l'attente de son extradition. Cette hâte n'était aucunement justifiée : Marcos s'était déclaré prêt à verser une caution de 300 000 dollars et il n'y avait aucun risque qu'il cherche à prendre la fuite, toujours aussi respectueux qu'il était des lois américaines.

En réalité, Robert Kennedy voulait, par l'exemple, démontrer au monde entier qu'aucun dictateur latino-américain ne pourrait s'installer tranquillement aux États-Unis. C'était devenu chez lui une obsession. Marcos me téléphonait de la prison pour pester contre le cadet des Kennedy. « Il est trop jeune, il ne comprend rien à rien. Mais le jour venu, il le paiera cher ! » Chaque fois qu'il m'appelait, c'est-à-dire chaque matin, il lui fallait verser 200 dollars de pot-de-vin au gardien. Il m'apprit un jour que toutes les voies de recours légales étaient désormais épuisées ; au Venezuela, ne l'attendait rien de moins que la peine de mort. La seule issue désormais était que j'engage moi-même, contre lui, une recherche en paternité. Mais je m'y refusai. Non seulement j'aurais alors toute la presse sur le dos, mais je risquais d'y perdre les liquidités qu'il m'avait accordées : il était clairement notifié qu'en aucun cas je ne devrais révéler le nom de la personne qui m'avait octroyé cet argent. Marcos me rassura. « Ne t'en fais pas pour ça, ni pour toi ni pour Mónica ; cet argent, vous l'aurez. »

David W. Walters, son avocat, par ailleurs ancien agent du FBI, avait la même opinion. Quelques jours plus tard, à contrecœur, je donnai mon accord, afin d'épargner à Marcos une condamnation à mort. Walters enrôla un autre avocat pour qu'il attaque Marcos en mon nom. Ce nouveau procès permit effectivement d'ajourner l'extradition. Mais Mónica et moi fûmes alors assaillies par les journalistes. Nous ne pouvions plus faire les courses que sous étroite surveillance. Je reçus un jour la visite de deux collaborateurs de Bob Kennedy, accourus de Washington. L'un d'eux s'appelait Karden, j'ai oublié le nom du second. Ils venaient me demander, sans détour aucun, de retirer immédiatement ma plainte contre Marcos, qui entravait le cours de la justice américaine. Tout Washington, Bob Kennedy en particulier, était indigné par mon attitude. Je répliquai fermement : « Malgré mon très grand respect pour monsieur Robert Kennedy, ma réponse est non. » L'un des deux émissaires, assumant le rôle du « gentil », me promit que si j'accédais aux vœux de Bob Kennedy, les autorités américaines fermeraient les yeux sur les deux bons au porteur. Je refusai : « Mónica a besoin de son père, de plus je suis de nouveau enceinte de Marcos. » Ils me menacèrent de m'envoyer, moi aussi, en prison, dans une cellule « juste à côté de ton gros ami ». Mais je ne me laissai pas intimider et leur fis observer : « Attention, tout ça est bien peu américain ! Dans ce pays, on ne menace pas ainsi une femme enceinte, surtout une femme qui a participé à l'opération de la baie des Cochons. Une opération, d'ailleurs, de la pire imbécillité. » Ils prirent l'allusion très à cœur et ripostèrent : « Si tu avais accompli ta première mission, cette invasion aurait tout simplement été inutile. »

David W. Walters, au nom de son client, reconnut devant les juges Weishart et Anderson que Marcos Pérez Jiménez était le père biologique de Mónica. Le gouvernement américain, de ce fait, n'avait plus prise sur moi ; il ne pouvait plus démolir ma seconde relation amoureuse. Il devait accepter le fait que j'avais une vie familiale à préserver, le père de ma fille eût-il été jadis dictateur. Mais après la visite des émissaires de Bob Kennedy, Marcos ne parvint plus à me téléphoner.

Un « reporter » nommé Jim Buchanan, soi-disant collaborateur du *Miami Herald*, glissa sous ma porte un mot indiquant qu'il souhaitait avoir très rapidement un entretien avec moi. Lorsque nous nous rencontrâmes, il m'avertit que si je ne retirais pas ma requête en paternité, je pouvais me considérer comme condamnée à mort. Il m'affirma avoir reçu pour cela les directives nécessaires. Je ne dis rien, et refusai de signer quoi que ce soit. Un jour que je menais Mónica dans son landau, sur le trottoir, une voiture rouge fonça sur moi. Je parvins à éloigner la poussette, mais fus moi-même renversée et blessée. Il fallut m'hospitaliser pour de sérieuses douleurs au ventre. C'est ainsi que je perdis le petit garçon que je portais depuis cinq mois déjà.

J'avais réussi à relever le numéro du véhicule. La police établit qu'il appartenait à un nommé Frank Russo, domicilié à Chicago, lequel travaillait parfois pour le procureur Richard Girstein, de Miami, et entretenait d'étroites relations avec David W. Walters. A quel jeu jouait donc ce Walters ? J'avais de moins en moins confiance en lui. Marcos lui-même se sentait beaucoup moins sûr de lui qu'au début. Pour le compte de qui, en définitive, Walters travaillait-il ?

C'est le 16 août que tout se dénoua. Buchanan – en fait un représentant de la loi – livra Marcos à des émissaires vénézuéliens venus le chercher en avion. J'attendais dans ma voiture, devant l'aéroport, et pus voir comment on le poussait dans l'avion, menottes aux poings. J'essayai d'aller lui faire mes adieux, mais les gendarmes me repoussèrent et, finalement, me mirent aussi les menottes.

Lee Harvey Oswald

Après l'expulsion – illégale – de Marcos, tout alla de mal en pis. En une semaine à peine, je perdis tout. David W. Walters, son prétendu défenseur, me dépouilla entièrement. Plus de logement, plus de voiture, et plus question des fonds dont Marcos nous avait fait don, à Mónica et à moi. Walters eut même le front d'affirmer que tout cela n'était que de ma faute, puisqu'en dépit de la convention d'anonymat j'avais révélé le nom du père de ma fille.

Plongée soudain dans l'indigence, je retrouvai mon ancienne clique de mercenaires, qui me confièrent quelques travaux : faire passer des drogues, transporter des armes... J'étais retombée au plus bas. Du moins mes collègues d'antan m'accueillirent-ils comme l'enfant prodigue. Mais l'ambiance n'était plus du tout la même. Le gouvernement américain avait réduit de façon drastique les largesses qui leur étaient jusqu'alors accordées en Floride. Après la crise des missiles soviétiques installés à Cuba, en octobre 1962, le président Kennedy était devenu un autre homme. Il entendait désormais éviter toute provocation et était convaincu de pouvoir trouver un arrangement avec Khrouchtchev. De plus, il avait promis aux Russes de ne plus s'en prendre à Cuba. Du coup, les groupes d'exilés cubains se voyaient couper l'herbe sous le pied, entraînant même des affrontements avec la police américaine et le FBI. Nos unités furent pourchassées et nos dépôts d'armes saisis.

Tous pestaient contre le président. Sturgis me confia un jour : « Je ne sais plus qui est notre véritable ennemi, Castro ou Kennedy. » Il lui arriva aussi de dire : « Ce trou du cul doit crever, tout comme il a envoyé nos hommes crever dans la baie des Cochons. » Je prenais ces mots à la légère. Mais après l'assassinat de Kennedy, j'y repensai plus sérieusement. Quelques jours avant l'attentat, je m'étais rendue en voiture à Dallas avec Sturgis et « Ozzie ». Plus tard seulement, j'appris que celui-ci s'appelait en réalité Lee Harvey Oswald, et qu'il était sans doute l'assassin de John Fitzgerald Kennedy.

Nous étions partis pour Dallas trois jours avant l'attentat contre le président. Ce long trajet, sous une chaleur épuisante, m'avait été insupportable. J'avais mes règles. Je rentrai immédiatement à Miami en avion. De là, je repartis avec Mónica chez ma mère, dans le New Jersey. Je ne cessais de m'interroger sur ce que mes collègues entendaient faire à Dallas : pourquoi toutes ces armes ? C'est par le haut-parleur de l'avion que j'appris, peu avant d'atterrir à New York, que le président Kennedy était mort. Je compris immédiatement que Sturgis était mêlé à l'affaire, mais je me tus pendant quatorze ans. En 1963, j'étais encore bien trop effrayée. A ma mère seulement, je confiai avoir rencontré Oswald dans les Everglades. Je me sentais comme tenue par un vœu de silence, faisant partie du même groupe qu'eux.

Ce n'est qu'en 1977 que retombèrent sur moi des soupçons quant à ma complicité dans l'assassinat de Kennedy. Toute mon existence se trouva bouleversée quand je dus témoigner dans le cadre de l'instruction concernant ce « crime politique ». « Ozzie » fut dans cette affaire le parfait bouc émissaire. Incontestablement, il avait tiré un coup de feu à Dallas. Mais même les plus insouciants des Américains furent scandalisés d'apprendre qu'avec lui se trouvaient impliquées des structures complexes, secrètes et totalement illégales.

Le « dernier mot » du président Johnson, assigné par la commission Warren, fut qu'Oswald avait préparé et accompli cet acte seul, sans l'aide de personne, et qu'il fallait une fois pour toutes tirer un trait sur ce drame. Imaginons un instant que la vérité sur ce meurtre fût apparue au grand jour... Les autorités américaines auraient été contraintes de reconnaître bien d'autres choses : par exemple l'existence d'une armée de meurtriers au service du gouvernement, sachant pertinemment qu'elle transgressait les conventions internationales et menaçait la paix. La CIA et le FBI espéraient que, le temps aidant, assez d'eau aurait coulé sous les ponts pour dissimuler toute cette machination. Pourtant, il n'en fut pas ainsi, bien au contraire. Cet enfouissement de la vérité a profondément ébranlé la crédibilité de la démocratie auprès de la grande majorité des citoyens américains, ainsi que dans le reste du monde. « Ozzie » reste le bouc émissaire pour un crime dont il revient à toute la nation américaine de répondre.

Au Venezuela

Après l'attentat mortel de Dallas, je ne savais plus où aller, ni quoi faire. Je ne voulais en aucun cas retourner aux Everglades : on n'y vivait pas bien et je voulais surtout m'occuper de Mónica, la protéger de tout. Nous allâmes passer quelque temps chez ma mère, à Fort Lee, dans le New Jersey. Je fus heureuse de la retrouver. Un jour, même, papa vint nous rendre visite. Il trouva Mónica extraordinaire et insista beaucoup pour que nous retournions avec lui en Allemagne. Il était déjà, à cette époque, assez gravement malade. Pourtant je décidai de ne pas le suivre. Peut-être fut-ce une des plus graves erreurs de toute mon existence. Il mourut d'un cancer trois ans plus tard. J'aurais certes beaucoup aimé me rendre en Allemagne avec mon père, mais j'avais porté plainte contre Walters et il me paraissait nécessaire de rester aux États-Unis.

J'avais trouvé un travail au Prentice Hall Publishing, dans le New Jersey. C'est là qu'un soir je me retrouvai soudain encerclée par cinq officiers de police. Ils me dirent : « Suivez-nous et restez calme ». J'en eus froid dans le dos, songeant à ma petite Mónica, enfermée à la maison. Ces hommes ne venaient cependant là que dans le cadre de la protection de témoins. Le chef de police de Fort Lee me mit sous les yeux un télégramme en provenance de Miami : la police de cette ville avait appris que quatre hommes, à bord de deux véhicules, étaient à ma recherche. Pour leurs basses œuvres, ils avaient touché 200 000 dollars. Je ne compris absolument pas ce qui pouvait se cacher là-dessous. La seule et unique personne susceptible d'une telle manigance était David W. Walters. Dès que l'on eut cessé de me surveiller, je passai un coup de fil à l'ex-avocat de Marcos. « Salut, mon petit David. Ça avance pour mes bons au porteur ? J'espère qu'au moins tu t'es payé un peu de bon temps avec mon argent ! Je suis toujours en vie et tu n'es qu'un foutu salopard. » Il me raccrocha au nez.

Sans trop attendre, je décidai de retourner à Miami pour reprendre les choses en main. Au palais de justice, je fus accueillie par deux officiers des services d'immigration, qui me demandèrent de les accompagner dans leur voiture. Ils me dirent qu'ils avaient quelques questions à me poser et lancèrent certains reproches contre mon père. Heinrich Lorenz aurait été un espion des nazis, de sorte que ma nationalité américaine n'avait aucune valeur. Je leur jetai à la figure : « Espèces de salauds, vous savez parfaitement que ma mère m'a fait inscrire en 1939 à l'ambassade américaine, afin que j'aie la double nationalité. » Furieuse, je sortis de la voiture et m'enfuis chez moi. Mais un autre véhicule me suivait.

Je ne souhaitais plus qu'une chose, retourner chez ma mère. En toute hâte, je pris quelques affaires et gagnai l'aéroport avec Mónica. Mais tous les vols pour New York étaient complets. Sur un coup de tête, je décidai alors de prendre des billets pour le Venezuela et d'aller trouver Marcos. Il fallait absolument que je lui raconte comment se comportait à Miami le représentant de ses intérêts. Dans l'avion, s'assit près de moi un homme d'affaires fort bien vêtu, qui s'extasia devant ma petite Mónica et me dit : « Ne craignez rien. Je suis votre ami, et un ami du général. Peut-être serez-vous interpellée à l'aéroport de Caracas, mais je ne vous perdrai pas de vue. » Sans nul doute, les services américains avaient déjà prévenu leurs homologues vénézuéliens de mon arrivée. En outre, Mónica figurait sur mon passeport sous un nom qui ne pouvait manquer d'attirer l'attention : Mónica Mercedes Pérez Jiménez.

De fait, quand je passai la douane, des policiers en civil s'approchèrent de moi et m'emmenèrent dans une salle d'interrogatoire. Après m'avoir fouillée, ils me demandèrent : « Dans quelle intention venez-vous au Venezuela ? » Je répondis : « Pour y rencontrer le général Marcos Pérez Jiménez. Et bien sûr aussi pour parcourir votre merveilleux pays. » Sur quoi, ils me passèrent les menottes et me conduisirent à la prison militaire El Moro. Pendant le trajet, un des officiers prit Mónica sur ses genoux. Je sentis tout de suite qu'ils ne s'en prendraient pas à elle. Ils la traitaient avec beaucoup d'affection et assurèrent qu'elle était le portrait craché de son père, « ce général canaille ».

La prison avait une allure de château moyenâgeux. La cour centrale comportait une fontaine espagnole et de hauts palmiers. On me conduisit sur-le-champ dans le bureau du capitaine Durans. Là, un homme fort déplaisant, à la sombre mine de geôlier, m'accueillit en ces termes : « Bienvenue à El Moro, madame Lorenz, veuillez vous asseoir. »

Il farfouilla quelque temps dans ses papiers avant de daigner se présenter à moi comme étant le chef du SIFA, les services secrets de l'armée vénézuelienne. A quoi il ajouta : « Tous ceux qui vont maintenant suivre vos mouvements dans mon pays ont été directement victimes de votre compagnon, qui les a persécutés et torturés durant sa dictature. — J'en suis navrée, répondis-je. Je sais parfaitement que Marcos n'a jamais été un ange. Mais je n'y suis pour rien et, vis-à-vis de moi, il s'est toujours parfaitement comporté. » Le capitaine sourit : « Vous et lui avez fort bien su user l'un de l'autre. »

Je dormis tranquillement dans ma cellule, jusqu'à cinq heures et demie du matin. On m'autorisa même à me laver, avec Mónica, dans la salle de bains du capitaine. Mais c'est alors que surgirent deux officiers pour m'arracher ma fille. « Non, pas ça ! », hurlai-je révoltée. Et, criant encore plus fort : « Rendez-moi mon enfant ! » Les autres personnes incarcérées se joignirent à mon indignation. Mais lorsque je me mis à héler Marcos à grand-voix, personne ne broncha. Manifestement, il était écroué dans une autre prison. Perdant toute maîtrise de moi, je maudis les gardiens, je secouai les grillages. J'étais épouvantée à l'idée que Mónica ne disparaisse à tout jamais, comme naguère le fils que j'avais eu de Fidel. Elle aussi risquait maintenant de grandir sans jamais avoir connu ses vrais parents.

Je ressentis tout à coup un affreux mal de tête et me traînai jusqu'au robinet pour boire un peu d'eau. Mais il n'y avait pas d'eau. Je n'avais rien mangé non plus et commençais à me sentir vraiment mal. Complètement éreintée, je m'écroulai et me tordis de douleur. Puis une sorte de calme m'envahit. Soudain, j'aperçus le capitaine dans la cellule, avec mon enfant dans les bras. Mónica tenait à la main une grande bouteille de lait et je ne sais quelle plante, elle me souriait. Le capitaine s'adressa à moi : « Je n'ignore rien de vos rapports avec Fidel Castro. » A quoi je répondis : « Fort bien, je vous en félicite. » On me conduisit alors dans une Jeep de l'armée vénézuélienne à l'hôtel Ávila, un magnifique quatre-étoiles de style colonial, au beau milieu des forêts. Plutôt surprise, je demandai : « Suis-je maintenant libre ? — Non », me répondit le capitaine, courroucé. « Vous restez notre prisonnière, il vous est interdit de sortir de cet hôtel ainsi que de téléphoner. » Avant de me laisser devant la porte, il me tendit un quotidien. Le grand titre de la une portait, tout simplement : « La compagne et la fille de Marcos Pérez Jiménez arrêtées à Caracas par le SIFA. »

Je me sentais en sécurité au Venezuela – même enfermée dans cette prison de luxe. Le parfum des bougainvillées embaumait depuis le balcon et, dans la chambre à coucher, je trouvai un bouquet de roses avec cette carte : « Bienvenue dans les Andes. » Certainement le capitaine avait-il voulu se faire ainsi pardonner son attitude un peu rude.

Le lendemain, on m'emmena au quartier général des services secrets, où se trouvaient assis face à moi une douzaine de militaires. Ils voulaient en savoir le plus possible : ma relation avec Fidel, ma formation militaire, si j'étais un agent castriste, si j'étais venue dans l'intention de déstabiliser le Venezuela et de soutenir la révolution cubaine. Et si j'avais entendu parler des trans-ports d'armes au Venezuela, en provenance de Cuba. En effet, deux jours avant mon arrivée, on avait découvert dans la capitale une cache d'armes appartenant manifes-tement à un groupe révolutionnaire castrisant. Je leur répondis aussi rapidement et simplement que possible, précisant que je ne travaillais plus comme agent pour personne, même pas la CIA, dans l'immédiat.

Ils n'arrivaient toutefois pas à s'expliquer par quelle folie j'avais pu me rendre ainsi au Venezuela avec ma fille, dans la seule intention d'aller rendre visite dans sa prison à l'ancien dictateur. Il ne me fut pas aisé de les convaincre que je n'avais aucunement l'intention d'or-ganiser un mouvement clandestin dans leur pays. Ils voulurent me faire signer une déclaration selon laquelle je ne chercherais pas à prendre contact avec Marcos pendant la durée de son jugement, et que je m'abstien-drais de toute attitude hostile envers le gouvernement vénézuélien. Je répondis : « Je ne suis prête à signer que le second point. » Je ne voulais en aucun cas renoncer à rencontrer Marcos, comme ils me le demandaient. Un des officiers aboya : « Madame Lorenz, voudriez-vous que nous vous déportions à Cuba ? »

Abasourdie, j'allai même jusqu'à me demander un instant si cette idée ne méritait pas d'être prise en consi-dération. Après tout, que pouvait Fidel contre moi ? Je lui avais tout de même épargné la mort, même si je réapparaissais soudain avec une gamine qui était celle de Marcos... Je finis par répondre : « Je reste au Vene-zuela, entre vos mains. » Ils m'expliquèrent alors que Marcos serait certainement condamné à une vingtaine d'années de prison, à quoi je répliquai que je saurais l'attendre aussi longtemps. Un officier crut malin de répliquer : « Dans l'intervalle, vous serez rapidement tombée amoureuse d'un autre dictateur ! »

Toujours est-il qu'ils n'insistèrent pas et me déclarèrent libre. Je pouvais partir. Mais partir où ? Je savais que Marcos possédait plusieurs maisons au Venezuela ; il fallait donc qu'ils m'expliquent comment en trouver une où m'installer. Ils s'esclaffèrent : tous les biens de Marcos, dérobés à l'État vénézuélien, avaient été confisqués depuis belle lurette. Je dis alors : « Fort bien. L'un d'entre vous disposerait-il pour moi et ma fille d'une chambre d'amis ? » Ils trouvèrent cette question encore plus désopilante. On me rendit mon passeport, avec un visa à durée illimitée, et on me permit de passer encore quelques journées à l'hôtel Ávila.

Abandonnée dans la forêt humide

Un matin, un officier de l'armée de l'air nous emmena, Mónica et moi, à l'aéroport. Un Cessna nous attendait. Il s'agissait, m'expliqua-t-on, de me permettre de contempler la beauté du pays. Le pilote, nommé Pedro Fernández, m'expliqua la topographie du pays tout aussi bien qu'un guide pour touristes. C'était une vision grandiose, ces immenses traînées rouge sang... Nous avions pour destination Ciudad Bolívar, dernière ville civilisée sur les rives de l'Orénoque. Du néant surgissaient de fantastiques montagnes de velours vert. Le pilote frôlait presque la cime des arbres, entre lesquels serpentait l'Orénoque roux sombre. Bientôt, Fernández posa le Cessna sur la piste raboteuse de Ciudad Bolívar.

On nous mena dans une petite pension appartenant à un charmant couple de personnes âgées. Ils s'occupèrent de nous deux pendant plusieurs semaines, à la fois en serviteurs et en gardiens : cette pension servait pour ainsi dire de maison de sûreté au gouvernement. « Moniquita », comme nos hôtes appelaient ma fillette de deux ans et demi déjà, commençait à prononcer

Les parents de Marita : Alice et Heinrich Lorenz.

Marita sur les genoux de sa mère, entourée de ses frères et sœur.

Marita à quatre ans.

Marita à sept ans, après son viol.

DL4BCJ

Carte postale du *Berlin.*

Marita en 1959. Ph. SUR Films.

Marita et son père sur le *Berlin*.

Les hommes de Fidel attablés avec des touristes.

Sur l'ordre de Marita, ils ont déposé leurs armes avant de monter à bord.

27 février 1959, c'est immédiatement le coup de foudre.

Heinrich Lorenz et Fidel Castro.

Marita à vingt ans, vêtue de l'uniforme des révolutionnaires cubains.

En 1960, Gerry Hemming est alors chef
de la « Brigade de pénétration anticommuniste ».

Frank Nelson et Frank Sturgis (à droite), deux amis de Marita, membres de la CIA.

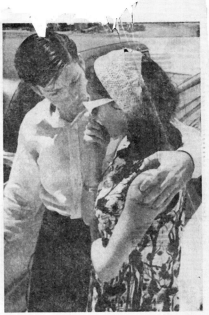

Illona Lorenz Missed Takeoff
... she filed a support case

Perez' Daughter Arrived Too Late
...comforted by husband Lee Brook

Perez Jimenez 'Home' --Left With One Shirt

Iceland Beauty Tops All

From Page 1

rimmed sunglasses, he walked between a double row of 30 U.S. and Venezuelan guards. There was no break in the line between the marshal's car and the white, DC6B Avensa jet waiting for him.

They let him walk up the plane ramp alone. One knee buckled as he reached the top step, perhaps from apprehension at approaching a verdict which he considers certain death. But he then stepped briskly into the plane and was gone from sight.

The plane door closed, locking PJ in with 12 Venezuelan detectives and a doctor and nurse to care for him in case he got sick or attempted suicide en route. Then the four-engine jet rolled down the taxiway to the takeoff runway.

Security continued right on to the runway rim. Before the plane rolled a Dade Port Authority car, two Metro police s flashing.

Smile Leaving Jail
...Perez stayed calm

that PJ fought with all his millions through a fistful of courts to avoid.

He wasn't entirely ready to go. A bodyguard arrived too late with his luggage and he took off with nothing but the clothes on his back — practically prison attire for PJ, who

in the words of his attorney, David Walters. But his farewell words were bitter.

"I told him maybe someday I would go down and visit him," said another of his attorneys, Edward Moore.

"Yes," Moore said PJ replied, "if I live long enough."

From a black limousine, PJ's eldest daughter, Margott, who married against his wishes two months ago, watched him fly away.

Another woman in the life of the five-foot, five-inch strongman, Ilona Marita Lorenz, drove up dressed in black. But the attractive strawberry blonde, whose support suit against "PJ" helped stall his extradition in recent days, arrived too late to wave him farewell.

In the ex-dictator's $400,000 mansion at 4609 Pine Tree Dr., Miami Beach, his wife Flor was given sedation and ordered to bed. Neither she nor her other three daughters watched the dreaded departure.

The last bell began tolling for the barrel-chested little general at 10 a.m. day in a Supreme Court rence

Iceland Beauty Tops All

LONG BEACH, C. (AP) — Miss Iceland, a slim blonde from Keflavik, named Miss Internation Beauty Friday night at the International Beauty Congress.

She's Gudrun Bjarnadott measures 38-23-38.

Runners-up in order, Miss England, Diana West 19, of Derbyshire; Miss Aus Xenia Doppler, 19, of Vien Miss American Beauty, Joyce Bryan, 19, of Miami; Miss Korea, Yoo-mi Choi, 20, of Soon Chun City.

Miss Bjarnadottir blinked back tears as she stepped forward to accept the winner's trophy and the $10,000 check which goes with it.

She is 5 feet 8, has blue which almost close w smiles broadly, and midway between b auburn

Mis "I di to wi (M

Marcos, le « second dictateur » de Marita.

Marita à New York, en 1972, avec ses deux enfants, Mónica et Mark.

1974, Marita en tenue d'auxiliaire de police.

UNITED STATES DISTRICT COURT
FOR THE DISTRICT OF COLUMBIA

FILED

MAY - 1 1978

JAMES F. DAVEY, Clerk

In the Matter of the Application of)
)
UNITED STATES HOUSE OF REPRESENTATIVES)
SELECT COMMITTEE ON ASSASSINATIONS)
)
) Misc. No. 78- 0136
)
)

ORDER
CONFERRING IMMUNITY UPON AND
COMPELLING TESTIMONY FROM MERITA LORENZ

The United States House of Representatives Select
Committee on Assassinations having made written application,
pursuant to Title 18, United States Code, Sections 6002 and
6005, for an order conferring immunity upon Merita Lorenz
_____ to testify to provide other information
before the Subcommittee on the assassination of John F. Kennedy
of the Select Committee on Assassinations, and the court
finding that all procedures specified by S 6005 have been
duly followed, it is hereby, this   1st   of   May,
1978,

ORDERED, that   Merita Lorenz   in accordance with
the provisions of Title 18, United States Code, Sections
6002 and 6005, shall not be excused from testifying or pro-
viding other information before the Subcommittee on the
Assassination of John F. Kennedy   of the Select Committee on
Assassinations on the grounds that the testimony or other
information sought may tend to incriminate her.

Ce document officiel garantit à Marita l'impunité
pour les délits commis pour le compte de la CIA dans les années soixante.

En 1978, Marita possède encore un arsenal impressionnant… avec lequel joue son fils Mark.

Ph. Escouroux/Studio X.

Marita et Frank Sturgis.

1981, à Fort Chaffee.

Marita et son époux Alton Lymon Kirkland, en 1982.

Marita et son fils Mark, le seul homme qui lui soit resté fidèle. Ph. Ute Langkafel.

Avant de partir pour Cuba, Marita écrit à Fidel Castro... Ph. Wilfried Huismann/SUR Films.

... qui refusera pourtant de la rencontrer. Ph. Ute Langkafel.

Mars 2000, à La Havane, retrouvailles avec Jesús Yáñez Pelletier,
l'ancien lieutenant du *Commandante*. Ph. Wilfried Huismann.

quelques phrases d'espagnol quand plusieurs policiers revinrent nous chercher. Nous avions passé trois semaines environ à Ciudad Bolívar.

Les officiers nous remirent dans un avion qui, des heures durant, nous mena vers la frontière brésilienne. La jungle se faisait de plus en plus impénétrable. Fernández m'expliqua que dans ces contrées vivaient des Indiens d'une grande sauvagerie, qui se massacraient entre eux pour des rituels et coupaient la tête de leurs victimes. Mais ils haïssaient surtout les Blancs. « Aimeriez-vous les rencontrer ? », finit-il par me demander. « Ah non, surtout pas ! », répondis-je.

Il fit soudain plonger l'avion jusque sur une minuscule piste d'atterrissage en pleine forêt vierge. Le cahot fut rude. Mónica poussa un grand cri d'effroi. Je vis se précipiter autour de nous des Indiens tout nus, surpris de voir se poser cet énorme oiseau blanc. Ces hommes, aux cheveux teints de rouge et hérissés comme des crinières de poneys, tendaient leurs lances dans notre direction, en psalmodiant une sorte de mélopée. Le pilote me conseilla : « Si tu ne veux pas y laisser ta peau, surtout ne souris pas. Ce serait pris pour un signe de faiblesse. » Je ne voulus d'abord pas descendre, mais Fernández me dit qu'il ne fallait pas que j'aie l'air d'avoir peur. Les Indiens nous examinaient avec étonnement, les uns et les autres, mais c'est surtout Mónica qui, avec sa drôle de culotte de cuir, attirait leurs regards.

Le pilote fit le tour de son avion comme pour en vérifier l'état, puis le fit avancer sur la piste, apparemment pour examiner l'état de celle-ci. Tout à coup, il lança par la porte ma valise bleue de la Pan Am et reprit son envol. Je me mis à courir derrière l'engin et tombai par terre en continuant de hurler : « Non, non, non, s'il te plaît, ne me laisse pas ici, espèce de salopard ! » A bout de forces, je regardai l'avion s'éloigner, jusqu'à ce qu'un total silence retombe. Je me retournai alors vers les Indiens, qui me fixaient d'un air peu rassurant. Mónica, elle, semblait trouver les gamins tout à fait charmants et ne tarda pas à faire cercle avec eux. Tous ensemble nous nous rendîmes vers les paillotes. Les hommes se balançaient dans leurs hamacs tandis que les femmes s'agenouillaient pour allumer le feu et faire la cuisine. Tous nous considéraient avec curiosité et venaient nous effleurer la peau.

Cependant, quand les hommes voulurent s'emparer de ma valise, je la leur retirai des mains. Faute de comprendre un mot de ce qu'ils disaient, je m'efforçais surtout de ne pas paraître effrayée. Peu après, j'allai m'asseoir contre un arbre pour réfléchir à ce que la situation me laissait comme possibilités.

A un moment donné, une vieille femme vint retirer à Mónica sa culotte de cuir et ses élégantes bottines. Elle passa ensuite plusieurs heures à repriser cette culotte puis à la mouiller d'eau de la rivière. Tout cela me paraissait terriblement alarmant et, comme le soir tombait, je me sentis soudain prise d'angoisse : comment allions-nous survivre ici ? N'allaient-ils pas m'égorger pendant la nuit ? J'étais blanche, après tout, et ils avaient toutes sortes de raisons de haïr les Blancs. Heureusement, Mónica tenait de son père des traits un peu indiens, et ils eurent vite fait de l'accepter. Les femmes s'occupaient d'elle comme de leurs propres enfants et la nourrissaient d'aliments à notre goût détestables. Je passai cette première nuit à pleurer dans mon sommeil, Mónica dans mes bras, ma valise me servant d'oreiller. Autour de moi pullulaient des milliers d'insupportables punaises, puces, moustiques et mouches.

A l'aurore, les femmes disparurent dans la sombre verdure de la forêt humide. « Ne me laissez pas toute seule ici ! », fulminai-je intérieurement. Mais elles ne me prêtaient pas la moindre attention. J'allai au bord de la rivière uriner dans l'eau brunâtre et je ne sais quelle bestiole me frôla la jambe. Je ressortis de l'eau en toute hâte, épouvantée. C'est alors seulement que j'aperçus les hommes, qui m'avaient observée en riant.

« Comment vais-je me sortir d'ici ? », ne cessais-je de me demander. Si j'avais disposé d'une pirogue, j'aurais pu suivre le fil de la rivière mais, à cause de Mónica, cela eût été trop risqué. Aussi décidai-je tout simplement d'attendre la suite. Lorsque j'avais faim, je me passais les doigts sur la bouche et les Indiens me donnaient de l'eau et des bananes. Avec mon couteau de poche, je gravai sur un tronc mon nom et celui de Mónica. Jour après jour, je ferais à chaque lever du soleil une entaille dans le bois, pour ne pas perdre le fil du temps. Les hommes me regardèrent, admiratifs, faire ce petit burinage. Les Yanomamis chez lesquels on nous avait larguées – c'est seulement plus tard que j'appris le nom de leur tribu – comptaient il est vrai parmi leurs coutumes certaines automutilations. Ainsi se découpaient-ils les lèvres, les oreilles, le nez.

De mon côté, je leur fis comprendre, toujours par gestes, que j'étais disposée à les aider dans leurs travaux. Chaque soir, les hommes rapportaient le produit de leur chasse : armés de sarbacanes et de lances, ils avaient abattu tapirs, singes, poissons, oiseaux, tamanoirs, sangliers... Ils vidaient les bêtes et les déposaient, enveloppées dans des feuilles, sur un foyer encore rougissant. Il leur arrivait même de mettre un singe directement sur le feu, pour lui griller les poils. Cela dégageait d'abord une puanteur insupportable, bientôt remplacée par l'odeur de la viande grillée. La nourriture que nous donnaient les Yanomamis était surtout composée de noix diverses, champignons, cœurs de palmier, œufs, melons, mangues, miel et bien d'autres choses dont j'ignore encore aujourd'hui ce qu'elles pouvaient bien être, dont les plus répugnantes ressemblaient à de grosses larves ou limaces, blanches et grasses, qu'ils trouvaient sur les feuilles des arbres. Ils les mangeaient crues et, un jour que je voulus les rôtir au feu à l'aide d'une pique, ils me l'arrachèrent des mains.

Quand je me lavais dans la rivière, ils se moquaient de moi. Bientôt j'en vins à manquer de savon, mes ongles devinrent noirs et fêlés. Les cheveux me pendouillaient sur les yeux. J'avais le visage brûlé par le soleil et couvert de piqûres d'insectes. Par bonheur, chaque après-midi éclatait une violente averse tropicale, qui brisait la monotonie de cette constante chaleur moite. Cette fraîcheur soudaine me soulageait un peu, mais dès que la pluie cessait et que la forêt primitive reprenait ses droits, les moucherons revenaient me tourmenter plus nombreux encore.

Quelques jours plus tard, un Indien au visage balafré et peinturluré, au regard sombre, me confectionna une natte de paille et de feuilles. Pour l'en remercier, je lui fis cadeau de ma boîte de maquillage. Il se montra tout heureux de jouer avec mon petit miroir. Bientôt, les autres tentèrent de la lui dérober, ce qui donna lieu à quelques incidents.

J'avais sans cesse l'oreille aux aguets, espérant entendre un moteur d'avion, mais toujours en vain. Je ne cessais non plus de redouter un conflit entre mes Yanomamis et quelque autre tribu. Qu'aurais-je bien pu faire en pareil cas? Après un mois peut-être passé dans cette forêt, je fus soudain prise de fièvres. Je ne cessais de vomir, souffrais d'une terrible diarrhée, j'avais une fièvre de cheval; le diagnostic ne faisait aucun doute, c'était la malaria. Je restai longtemps incapable de seulement me soulever. Il me venait des hallucinations. J'ai le très vague souvenir d'une vieille Indienne qui me forçait à boire de l'eau et à avaler des feuilles très amères, prémâchées. Après de longs jours entiers de somnolence, je revins miraculeusement à la vie et parvins enfin à bouger les bras. Mais il me fallut encore longtemps avant de pouvoir marcher. Du moins la sève âcre de ces feuilles apaisait-elle mes douleurs. Une fois surmonté l'accès de malaria, je cessai d'attendre l'arrivée d'un avion. A quoi bon rêver encore à ce monde des Blancs, où l'on cherchait tant à se causer du tort ? J'étais mieux chez mes Indiens !

Je ne pleurais plus. Je me coupai les cheveux. Je m'efforçai de mieux comprendre la façon d'être de mes « hôtes », en fait toute simple et naturelle. J'allai jusqu'à apprendre quelques mots de leur langue. Je ramassais du bois avec les autres femmes. Plus le temps passait, plus je trouvais sensée leur manière de vivre. Ainsi s'écoulèrent des mois et des mois ; Mónica allait bientôt avoir trois ans. Je m'habituai peu à peu à l'idée que toute mon existence puisse finalement s'écouler dans cet étonnant univers. Pas une seconde je n'envisageai le suicide. Je n'avais pas non plus le mal du pays : quel était au juste mon pays ?

Je m'efforçais d'oublier mon ancien « moi », tout de haine et d'autojustification. J'enviais ces Indiens, si simples et, en même temps, si parfaitement organisés. Je ne sais plus quand, je plantai un petit jardin et entrepris d'y construire ma propre paillote. Deux jeunes vinrent m'aider, mais les autres Indiens protestèrent : construire une paillote, c'était une affaire d'hommes ! Cependant, quand je liai plusieurs cordages par des nœuds marins, j'entendis s'élever un murmure d'approbation. C'est ainsi que je réussis à vraiment m'adapter chez les Yanomamis et à puiser dans la nature environnante une réelle tranquillité intérieure.

J'aimais les enfants, j'aimais les animaux. Un petit singe devint mon plus fidèle compagnon. Qui plus est, j'avais un prétendant. Katchu, un homme grand et robuste, le teint pourpre et les pieds plats, s'intéressait à moi. Il m'effleurait avec le nez, signe de vive affection, et claquait la langue de plaisir. Il lui arrivait de rester des heures dans l'eau, immobile, à pêcher pour moi. Katchu m'apportait des fruits et des baies, il ne cessait de me suivre du regard. Je refusai cependant de me donner à lui, car je lui aurais alors appartenu et serais devenue sa servante. De plus, je n'avais aucune envie de tomber à nouveau enceinte, surtout dans cette forêt sauvage.

Un jour, à l'aube, j'entendis le vrombissement d'un avion. Ce signal inattendu m'apparut bien plus comme une menace que comme une joie. Tous les Indiens, sauf Katchu, coururent vers l'appareil. Quant à moi, je restai assise au bord de la rivière, engourdie, indécise. Quatre hommes en uniforme s'approchèrent de moi. Je ne leur dis rien mais m'accrochai à la jambe de Katchu, sous les yeux incrédules des soldats. Sans doute virent-ils alors en moi une sorte de fauve. Ils me dirent : « Nous sommes ici à la demande de votre mère, pour vous ramener aux États-Unis. » Je ne savais plus où était mon cœur, où était ma raison. Cependant je décidai de repartir avec eux. Comme unique souvenir, j'emportai une tête de singe réduite que m'offrit la tribu en cadeau d'adieu, ainsi qu'un rouleau de peau de boa séchée. Cette tribu, je voudrais un jour la retrouver – avant que ne soit à jamais détruite cette forêt tropicale où je trouvai mon premier « chez-moi ».

De retour à Miami, Mónica et moi-même entrâmes immédiatement en clinique. Pendant toute une semaine, on nous administra des médicaments contre plusieurs sortes d'infections tropicales.

Les souvenirs de Mónica

Mónica Mercedes Pérez Jiménez vit aujourd'hui à New York. Elle est mère célibataire. Marita ne voit pas d'un bon œil que j'aille voir sa fille pour recueillir ses souvenirs de cette époque. Le moins que l'on puisse dire est que leurs relations sont assez froides. Amèrement, Marita observe : « Elle a hérité du caractère de son père, d'ailleurs elle lui ressemble aussi physiquement. » Sur ce point en tout cas, Marita se trompe. En rencontrant Mónica, je découvre qu'elle ressemble bien davantage à sa mère. Mónica est une femme attirante, pleine d'énergie, mince malgré une forte musculation. Une battante... Elle a même reçu le titre de « Miss Fitness » des États-Unis ! Tout en suivant régulièrement un entraînement de karaté, elle mène normalement sa carrière de comédienne.

Nous faisons connaissance dans son spacieux appartement de Brooklyn, qu'elle loue quelque 3 000 dollars – payés par son second mari, dont elle est séparée, un certain Neil Ortenberg, héritier de la société de mode Liz Clairborne et l'une des plus grosses fortunes d'Amérique. Aux murs sont accrochées nombre de photographies de sa grand-mère, Alice June Lorenz. Celle-ci, m'explique Mónica, reste pour elle une image exemplaire. Celle d'une femme clairvoyante, courageuse, énergique, la seule de toute la famille qu'elle puisse qualifier de « normale ».

Sa psychanalyste lui a recommandé de prendre ses distances vis-à-vis de Marita : frisant déjà la quarantaine, il était temps qu'elle se libère d'une mère aussi dominatrice. De fait, la petite Mónica eut Marita pour père et mère à la fois. Toute son enfance fut marquée par des événements dramatiques et mal digérés. Des mois passés dans la forêt humide, Mónica me dit ne pas avoir vraiment de souvenirs, peut-être parce qu'elle était

139

trop jeune : « *Je vois parfois resurgir une image... Je marche dans cette forêt sauvage, accrochée à la jambe de ma mère en pleurs.* »

Elle a toujours eu le sentiment de ne pas compter aux yeux de Marita, qui ne vivait que pour son activité d'agent secret. Mónica considère n'avoir jamais eu de véritable enfance. C'est pourquoi dès son adolescence, comme sa mère, elle a tout vécu à fleur de peau et s'est sentie poussée vers les extrêmes. Elle a même essayé une fois de se donner la mort : « *Après cela, il m'a fallu m'en sortir toute seule. Je n'arrivais ni à mourir, ni à m'écarter de Marita.* » Sa mère menait une existence si vagabonde que Mónica ne put jamais nouer de relations d'amitié stables. Toujours sur la route, dans des écoles et des logements nouveaux, sous des identités changeantes...

Marita avait des méthodes d'éducation assez particulières. Au lieu de la laisser jouer avec des poupées, elle lui apprenait à confectionner des cocktails Molotov, à monter et à démonter des armes. Dans un garage en sous-sol, elle organisait des concours de tir entre sa fille et son demi-frère Mark – le second fils de Marita, né en 1969. « *Marita voulait que sa fille soit forte, invulnérable. Elle voulait faire de moi un petit soldat* », insiste Mónica pour que je comprenne bien. Du bureau de police où elle travailla à un moment, Marita lui rapportait des photos de filles violées et assassinées. Mónica, terrorisée, n'en devait pas moins les examiner attentivement : « *Elle pensait que c'était la meilleure façon de m'éviter le caniveau.* » Un jour qu'elle refusait d'obéir, sa mère lui appliqua sur la tempe un pistolet chargé, cran de sécurité levé, jusqu'à obtenir d'elle ce qu'elle lui demandait. « *Elle aurait parfaitement pu me tuer sans l'avoir voulu* », conclut Mónica. « *J'aurais tant aimé avoir une famille normale, comme tous les autres enfants, mais mon père était un dictateur sanguinaire et maman n'était que sa maîtresse.* »

Elle s'interrompt, comme effrayée d'en avoir déjà trop dit. D'une voix étranglée, elle revient un peu sur ce qu'elle vient de me révéler : « Elle s'est pourtant montrée une bonne mère. Dans ce difficile contexte d'agent secret, en tant que mère célibataire, elle a déployé toutes ses forces. »

De son père, Marcos Pérez Jiménez, elle n'a gardé aucun souvenir. Quand il fut extradé, en 1963, elle était encore trop jeune. Plus tard, après leur séjour forcé dans la jungle vénézuélienne, Marita lui parla beaucoup de son père ; mais, hélas, elle ne put jamais le rencontrer. Elle porte toujours le nom de Pérez Jiménez, ce qui n'a pas manqué de lui causer des problèmes. Les Latino-Américains frémissent encore à son souvenir. « Mais Marcos m'a transmis son sang d'Indien, et de cela je me sens fière… »

Matías entre dans la pièce. C'est le fils de Mónica, il a sept ans. Il revient d'une séance de tournage en studio. Mónica s'est arrangée pour le faire entrer dans le monde du spectacle. Le garçonnet nous écoute très attentivement discuter et, m'entendant dire que j'ai vécu quelques mois au Chili, tout rougissant, il me demande : « Au Chili, est-ce que tu as rencontré mon grand-père ? » J'apprends alors, à mon grand étonnement, que son grand-père n'était autre qu'Orlando Letelier, ministre des Affaires étrangères et de la Défense sous le régime d'Unité populaire de Salvador Allende. Orlando Letelier fut abattu à Washington par les services secrets de Pinochet, la DINA, au moyen d'une voiture piégée. Les assassins du grand-père de Matías, les frères Novo, étaient d'anciennes connaissances de Marita : ils avaient ensemble entraîné les exilés cubains, dans les années soixante.

Francisco, le père de Matías, épousa Mónica en 1991, mais deux ans plus tard ils se séparèrent. Bien évidemment, ce lourd passé familial continue de hanter Matías. Son grand-père Marcos Pérez Jiménez, l'ancien dictateur vénézuélien, ne veut surtout pas faire sa connaissance – ce vieillard malade qui réside aujourd'hui près de Madrid n'a jamais non plus voulu me rencontrer. Son grand-père « de gauche », Orlando Letelier, a été assassiné par son grand-père « de droite » et sa grand-mère Marita. Et cette dernière n'a le droit de venir le voir que lorsque la psychanalyste de Mónica estime cette rencontre opportune.

6

ESPIONNE À NEW YORK

Après notre aventure tropicale, Mónica et moi retournâmes chez ma mère, à New York. Ses nombreux
contacts dans les milieux des services secrets lui avaient
enfin permis de retrouver ma trace. Mais quelqu'un
d'autre s'était également beaucoup préoccupé de mon
cas pendant cette période vénézuélienne : l'oncle Charlie Tourine, surnommé « l'Épée ». Je ne tardai pas à
m'installer chez lui avec Mónica.

Je connaissais Charlie depuis que, toute jeune encore,
je suivais mon père à New York, sur ses bateaux. A cette
époque-là, Charlie travaillait pour les syndicats por-
tuaires, contrôlés par la mafia. Comme tous les autres
capitaines, Heinrich Lorenz se devait d'être en bons
termes avec Charlie Tourine. Papa, qui avait un grand
sens de la diplomatie, ne manquait jamais, une fois
son navire amarré au quai 97, d'inviter à bord pour
le meilleur dîner possible toute l'équipe du supérieur
de Charlie, un certain Eddie, et de leur servir son
meilleur whisky.

Avant la révolution cubaine, Charlie Tourine avait
exploité le casino Sans Souci, à l'hôtel Capri de
La Havane. Ce joueur professionnel avait tout d'un gentleman et me traitait comme si j'avais été sa propre fille.
Nous parlions beaucoup des temps anciens. Il nous

faisait la cuisine, il nous jouait de la musique sicilienne. Quand il partait en voyage d'affaires, c'est à moi qu'il confiait la maison. Je crois n'avoir jamais rencontré personne plus loyale que cet homme. Il est malheureusement décédé voici quelques années – à une table de jeu.

Charlie me trouva également un emploi à la réception du Hilton New York. C'est là que je fis la connaissance d'un Cubain prénommé Humberto. Prospère homme d'affaires, il me traitait avec les plus grands égards. Finalement je l'épousai et allai vivre chez lui avec Mónica. Je tenais la maison. Accaparé par son travail, Humberto partait tôt chaque matin. Je m'occupais de la cuisine, du repassage, du ménage.

Un jour, comme j'allais ranger dans l'armoire son porte-documents, celui-ci s'ouvrit, laissant tomber deux pistolets et plusieurs milliers de dollars en billets. Ce spectacle me fit froid dans le dos et sur-le-champ je remballai mes affaires pour retourner chez ma mère, à laquelle je n'expliquai rien. Il me semble pourtant qu'elle me dit : « J'en étais sûre dès le début. » A Humberto, je laissai ce simple petit mot : « Désolée, mais je ne suis pas faite pour le mariage. » Avant de partir, je pris 5 000 dollars dans sa liasse. Il ne s'en apercevrait sans doute même pas. Avec cet argent, je m'inscrivis à une école de langues et, bien sûr, achetai à Mónica des vêtements et des jouets.

J'avais depuis longtemps oublié cet homme quand, un jour, je retrouvai une quittance du mont-de-piété que j'avais naguère trouvée dans l'une de ses poches de pantalon. Par simple curiosité, j'allai demander de quoi il s'agissait. Mais je n'avais pas encore reçu de réponse que déjà la police se trouvait sur place et m'interpellait : « Vous êtes en état d'arrestation, pour détention de biens volés. » Une fois au poste, tout fut rapidement éclairci. J'acceptai sans difficulté de collaborer avec la police pour retrouver la trace d'Humberto. C'était en réalité un délinquant depuis longtemps recherché. Il avait quitté l'appartement où nous vivions sans y laisser la moindre trace – hormis des empreintes digitales.

Je revoyais souvent, à titre personnel, l'officier de police « J. J.[1] », rencontré au poste après l'incident du mont-de-piété, car il était chargé du dossier Humberto. Un jour que nous mangions ensemble dans un restaurant allemand de la 84e Rue, son téléphone portable sonna et on lui annonça : « Le FBI a retrouvé le Cubain recherché. »

J. J. me rappela plus tard chez ma mère et me demanda : « Savais-tu que Humberto était un faux-monnayeur ? » Du coup, je me sentis coupable à mon tour. Que devais-je maintenant faire des billets que j'avais ramassés chez lui ? J'examinai attentivement ces billets de 100 dollars, sans rien leur trouver de particulier. Et je me sentis comme écartelée : la brave fille en moi se disait qu'il fallait restituer cet argent, la méchante pensait tout le contraire. Il me restait encore vingt billets. Je décidai finalement d'en « blanchir » une partie dans des supermarchés. Entre autres articles, j'offris à l'oncle Charlie une belle chemise à 200 dollars. Quand je lui expliquai d'où venait cet argent, il se mit en fureur : « Au nom du Christ ! Tu veux vraiment te retrouver en prison ? Et Mónica, alors ? Ne refais jamais une chose pareille ! » Sans hésiter, il déchira en tout petits morceaux les billets qui me restaient et les fit disparaître dans les toilettes. C'en était trop pour moi, et je lui reprochai rudement son geste. Charlie me montra du doigt la porte de son vestiaire et cria presque : « Il y a là deux millions de dollars, dans une boîte à chaussures. Tu as besoin de quelque chose ? Serstoi ! » Il me dit aussi que je devais enfin comprendre que

---

1. Afin de ne pas porter préjudice à cet officier encore en vie, il ne sera désigné que par ces initiales. De même, un peu plus loin pour Oleg L.

la guerre était finie : « Nous te serons à jamais reconnaissants d'avoir fait sortir nos hommes des prisons cubaines, mais tu dois maintenant ranger tes armes au placard, tout ça c'est du passé. »

Il faisait allusion au fait qu'en 1959, quand j'étais la maîtresse de Fidel, j'en avais profité pour faire libérer deux mafiosi. La mafia n'a jamais oublié ce geste. Je ne sais quand, l'oncle Charlie téléphona à ma mère pour lui dire : « Écoute, Marita a du mal à sortir de son passé, sa vie n'est faite que d'agressions, elle n'arrête pas de jouer aux gendarmes et aux voleurs. Si nous la renvoyions un certain temps en Allemagne ? Qu'en penses-tu ? »

Malgré sa mauvaise réputation, Charlie était homme de parole. De façon générale, si j'en crois mon expérience, il n'y a pas plus loyal et honnête qu'un « mauvais garçon ». Tout au contraire des « bons serviteurs de l'État », qui pour la plupart franchiraient fort mal l'épreuve d'un hypothétique « détecteur de loyauté ». Aussi longtemps que l'on s'en tient aux règles du jeu, on ne court aucun risque de se voir planter un couteau dans le dos par la mafia, même si l'on a commis une erreur. Par exemple, quand je rompis toute relation avec des membres d'une « famille » mafieuse, brouillée avec ma propre « famille », j'eus droit à une admonestation du grand chef. Comme je reconnus immédiatement que j'avais eu tort, il ne m'arriva rien du tout. A la CIA, il en va tout autrement : on a beau reconnaître ses torts, on ne s'en fait pas moins tirer dans le dos.

Je me trouvai contrainte d'aller voir Humberto dans sa cellule, à Sing-Sing, car il me fallait son accord pour l'annulation de notre bref mariage. Il accepta de signer, mais seulement après m'avoir fait promettre de lui adresser des paquets dans sa prison. Bien évidemment, je n'avais aucunement l'intention de respecter cet engagement. Je profitai de l'occasion pour lui demander où il avait réussi à se procurer ces faux billets. Humberto m'avoua les avoir découverts par hasard, lors d'une série de cambriolages. Ayant pénétré par effraction dans une maison proche de Coney Island, il avait découvert dans la cuisine un séchoir sur lequel pendaient des billets. Il avait empoché une bonne quantité de billets presque secs, puis les avait trempés dans du thé pour qu'ils ressemblent davantage à de vraies coupures.

Lors de cette dernière conversation avec Humberto, j'appris encore qu'il avait été membre de l'organisation anticastriste « Alpha 66 » mais s'était rapidement brouillé avec ce groupe. Tout ce qu'il voulait, c'était se faire rapidement de l'argent et pouvoir retourner à Cuba. Je n'hésitai pas à lui dire : « Tu es vraiment une fripouille. Tu commences par fuir Cuba et travailler pour la CIA. Après quoi tu trouves ça trop nul et tu montes à New York dévaliser des gens innocents et travaillant dur. Fais attention : si jamais tes actions meurtrières ont touché la mafia italienne, elle ne te loupera pas. » Je ressortis hagarde de la prison, honteuse surtout de moi-même. Comment donc avais-je pu me lier avec un pareil criminel ? Un gardien, me voyant passer, s'exclama : « Une si jolie nana, et un mec comme ça ! »

Me fiant au conseil de Charlie, je retournai en Allemagne, où je trouvai mon père à l'article de la mort. Mónica et moi habitions chez mon oncle Fritz et ma tante Lotte, à Bad Münster am Stein, d'où mon père était natif. Nous allions tous les jours lui rendre visite. L'après-midi, nous travaillions dans le jardin, ou bien nous nous promenions dans les vignes. Papa mourut le 14 juillet 1966. Aujourd'hui, à Bad Münster am Stein, la promenade de bord de mer s'appelle « cours capitaine Lorenz ». Après le décès de papa, je pris de nouveau l'avion pour New York où, avec Mónica, je retournai vivre chez ma mère, 86ᵉ Rue Est. Je réussis assez vite à inscrire la petite dans une école privée ; pour ma part, j'entamai une formation d'infirmière.

J'écrivis plusieurs fois à Marcos, espérant qu'il m'aiderait financièrement à élever notre fille. En 1968, j'appris par les journaux qu'il avait été libéré et s'était exilé à Madrid. Il parut très heureux que je l'appelle à son hôtel madrilène. Il avait bien reçu mes lettres ainsi que les photos de Mónica, qu'il trouvait ravissante. Il fut par ailleurs navré d'apprendre que son ex-avocat Walters avait rendu caduc l'accord de confiance conclu entre nous deux et me promit de reprendre en main cette affaire. Il me demanda de venir le voir à Madrid avec Mónica. Ce fut la première fois qu'elle parla à son père, même si ce n'était qu'au téléphone.

Dès la semaine suivante, je pris l'avion pour Madrid et descendis au Castellano International. Le lendemain matin, je pris un copieux petit déjeuner puis remontai dans ma chambre pour appeler Marcos. Je fus prise alors d'une sorte de vertige, le souffle coupé, avec des douleurs dans tous les muscles, tous les os du corps. Je gagnai ma chambre en rampant et m'écroulai sur le lit. Aucun doute, on avait versé quelque chose dans mon café ou dans mes aliments. Un homme à l'accent nettement britannique me découvrit là, ayant entendu mes gémissements par la porte laissée ouverte. Il me demanda s'il fallait appeler un médecin. Je le priai de surtout n'en rien faire, mais de m'aider à trouver une place dans le premier avion à destination de New York. De toute évidence, la CIA avait voulu m'empêcher de rencontrer Marcos, par tous les moyens. Un « avertissement », en quelque sorte, bien caractéristique de sa façon d'agir.

Il me fallut encore deux jours avant de pouvoir me tenir debout et prendre un taxi pour l'aéroport. Ma mère m'attendait à l'aéroport JFK avec une ambulance. Au Doctor's Hospital de New York, les médecins diagnostiquèrent un empoisonnement, sans pouvoir déterminer par quelle toxine. Je restai toute la semaine dans cet hôpital.

Comédies sentimentales

Peu après mon rétablissement, je fis la connaissance de deux hommes tout à fait différents l'un de l'autre, mais qui allaient chacun transformer radicalement mon existence ; l'un s'appelait Edward, « Ed », Levy ; l'autre, Louis Yurasits.

Louis, irréprochable administrateur de notre immeuble, était non seulement gentil mais réellement séduisant. Nous entretenions une fort bonne relation de voisinage, jusqu'à ce soir où, très aimablement, il me présenta deux amis. Il s'agissait d'Al Chestone et d'un certain John, tous deux agents du FBI, qui ne me révélèrent pas leur véritable identité ; ils cherchaient en fait à me recruter comme informatrice. Mónica jouait régulièrement avec les enfants d'une autre locataire, qui vivait dans un très grand appartement juste au-dessus du nôtre. Selon eux, cette femme était la fille d'un des principaux gangsters de la mafia américaine. Ils souhaitaient que je me lie d'amitié avec elle et leur fournisse des indices concernant des réseaux de fausse monnaie.

« Écoutez-moi bien ! », m'exclamai-je, indignée, « Je ne suis pas une moucharde. » A quoi ils répondirent froidement : « Nous possédons tous les documents vous concernant. » « Eh bien, si vous avez épluché ces documents, vous savez aussi que j'ai tout perdu. Je ne veux plus fréquenter votre milieu. » Je m'en tins là et ils furent bien obligés de chercher eux-mêmes leurs indices, en faisant une razzia dans l'appartement de ma voisine. Avec succès, manifestement, car elle se retrouva en prison.

149

Cet épisode m'amena à mieux connaître Louis. Il collaborait étroitement avec le FBI et avait directement participé à plusieurs actions comme agent clandestin. Il travaillait depuis longtemps pour Al Chestone et avait notamment fait en sorte, avec lui, d'empêcher des agents du KGB d'infiltrer une usine nucléaire au Canada. Un soir où ma mère était de sortie, j'invitai Louis dans notre appartement. Après un peu de babillage, je finis dans ses bras. Et je ne tardai pas à me trouver à nouveau enceinte, ce qui posait un réel problème, car j'avais encore pour amant Ed Levy.

Ed ne fut pas moins persuadé que Louis d'être le père de l'enfant. Je fréquentais cet homme depuis longtemps déjà. Élevé à Brooklyn, il ne faisait affaire qu'avec des mafiosi. Ed possédait trente-six chevaux de course, ce qui n'était pas non plus sans rapport avec le monde de la rapine organisée, plus précisément avec la « Kosher Nostra », la mafia juive de New York. Ed brassait beaucoup d'argent et j'en touchais un peu de temps à autre. Nous nous étions rencontrés tout à fait par hasard, dans un bar. Je trébuchai, pourrait-on dire, sur la table à laquelle il se trouvait assis. Il traversait alors une crise pénible : sa fille venait de mourir d'une tumeur au cerveau, le même mois il avait vu mourir son père et sa mère et, pour tout arranger, sa femme l'avait quitté. Nous devînmes amis sur-le-champ et presque tout de suite il voulut m'épouser — sous le régime, bien sûr, de la séparation de biens. Bref, se noua entre nous tous une assez confuse comédie sentimentale. Aussi tentai-je un jour de joindre Marcos en Espagne, pour lui demander s'il entendait, au bout du compte, garder un quelconque lien avec notre fille et moi-même.

Pendant ce temps, Louis était occupé à fabriquer un lit d'enfant dans une petite pièce. Très surpris que je sois si rapidement tombée enceinte, il n'en était pas moins ravi de se trouver père. Ed, quant à lui, passait m'apporter des friandises.

J'avais noué avec Louis une relation de travail pour le moins affable. Ed, quant à lui, me proposait une existence de luxe. Mais ni l'un ni l'autre ne se doutèrent jamais qu'il y avait encore autre chose.

Un broyeur explosif

Les deux agents du FBI ne me lâchaient plus. Ils venaient sans cesse me demander ce que je comptais faire, répétant : « Il n'est pas bon de mettre au monde un enfant sans père. » Ils disaient vouloir que j'épouse Louis afin que notre bébé ait une véritable famille. Mais en réalité, il leur fallait disposer d'un couple d'apparence irréprochable pour une nouvelle mission clandestine.

Mark naquit le 13 décembre 1969, avant que j'aie consenti à ce mariage. Les agents du FBI ne tardèrent pas à nous envoyer au Mexique, où le divorce entre Louis et sa précédente épouse pouvait s'effectuer rapidement. Nous nous mariâmes donc et nous installâmes dans un appartement de luxe, au 250 de la 87e Rue Est. Cet immeuble de trente-deux étages hébergeait, entre autres locataires, nombre de diplomates des pays socialistes travaillant à l'ONU. Notre rôle consistait, profitant de notre apparence d'inoffensif couple marié avec enfants, à espionner leurs faits et gestes.

Notre logement était au rez-de-chaussée. Très vaste et luxueux, il offrait aussi un superbe point de vue sur le siège de la délégation russe à l'ONU. On n'aurait pu rêver meilleur endroit pour en prendre des photos. Dans ces années-là, le KGB envoyait à New York de plus en plus d'agents pour protéger les membres de la diplomatie, dont beaucoup étaient eux-mêmes des agents secrets. C'était la grande époque de la guerre froide, l'espionnage mutuel était de règle.

Les hommes du bloc de l'Est n'ignoraient évidemment pas qu'on les épiait en permanence, aussi procédaient-ils à des inspections systématiques de leurs propres domiciles. Ils dévissaient les prises de courant, où sont le plus souvent cachés les micros espions. Cependant, profitant de ce que le bâtiment était neuf, nous avions fixé ceux-ci derrière les prises de courant avant même la fin des travaux de maçonnerie, de sorte qu'un examen de routine ne pouvait suffire à les découvrir. Dans les caves, jalousement dissimulée, il y avait une salle d'écoute et deux agents s'y relayaient en permanence pour épier et noter tout ce qui se disait dans l'immeuble. Les locataires, qui n'étaient évidemment pas nés de la dernière pluie, déployaient une foule de stratagèmes pour savoir si des agents américains s'étaient introduits chez eux en leur absence. Ainsi avaient-ils coutume de coller à leur porte d'entrée un impalpable fil de soie qui ne manquerait pas de se déchirer si quelqu'un ouvrait.

Le FBI me fit suivre une formation accélérée de techniques spéciales, telles que le prélèvement et l'identification d'empreintes digitales, ou la réalisation discrète de clichés d'information. Des deux salles de bains que comportait notre appartement, l'une fut aménagée en bureau insonorisé, qui pouvait servir de chambre noire pour le développement de photos. Je disposais également là d'un équipement standard pour l'analyse des drogues.

Chaque soir, avec les enfants, je descendais à la cave voir si des diplomates n'auraient pas, sans y prendre garde, jeté au vide-ordures documents ou notes de bureau. En effet, ils avaient tendance à croire que la broyeuse fonctionnait constamment et, de ce fait, ne se donnaient pas toujours la peine de déchirer leurs papiers. Je proposais aux enfants un concours de pêche aux indices. Tout ce qui ressemblait à des lettres ou autres documents éventuellement intéressants, je l'emmenais dans mon bureau pour le décrypter et y chercher des informations d'ordre politique. Ces détritus étaient souvent intéressants et, au fil du temps, je devins une remarquable experte en déchets. Le vide-ordures des Albanais revêtait une importance particulière aux yeux du FBI. Personne ne savait s'ils étaient actifs à New York. Aussi un de mes plus grands succès fut-il de réussir à décrypter un document jeté au vide-ordures, d'où il ressortait que les Albanais procuraient à un groupe révolutionnaire américain de l'argent et des armes. C'est ainsi que tous les membres de ce groupe terroriste purent être arrêtés par le FBI.

L'officier qui nous commandait était Al Chestone, que l'on appelait « l'oncle Al ». Il venait presque chaque matin prendre une tasse de café chez nous, vers huit heures, pour bien se faire connaître comme un ami de la famille. Il nous apportait régulièrement une enveloppe contenant de l'argent. Louis et moi touchions une allocation mensuelle de gérants d'immeuble de 2 000 dollars chacun.

Un de nos locataires passait pour exercer de hautes responsabilités dans le mouvement des militants noirs. Il recevait d'innombrables visites, toujours très brèves. Vraisemblablement, c'était un lieu de rencontre ou de repli. Comme nous n'arrivions pas à en apprendre davantage, je finis un jour par me glisser dans cet appartement. Il regorgeait de matériel. Partout sur le sol, des publications de la Black Liberation Army : *Union mondiale des travailleurs, Comment fabriquer une bombe, Weatherman-Underground*. Et un impressionnant arsenal d'armes diverses.

C'étaient les années du mouvement anti-Vietnam. Les policiers blancs se faisaient traiter de « cochons », la

153

moitié du pays s'indignait de la misère régnant en Amérique ou des méthodes de John Edgar Hoover, le patron du FBI, qui faisait espionner des gens aussi divers que Martin Luther King ou John Lennon.

Je trouvai là, autre indice d'actions violentes, un « rechargeur » conçu pour remplir des cartouches déjà utilisées. Louis apposa des scellés sur l'appartement, tandis que j'appelais mon ami J. J., de la Criminelle, qui accourut sur les lieux. Nous emportâmes comme preuve une cartouche déjà rechargée. Les laboratoires de police purent établir qu'elle provenait de la même arme que celle qui avait servi à abattre à Harlem, quelques semaines plus tôt, deux policiers en patrouille, un Noir et un Blanc. Le locataire fut arrêté et placé en cellule spéciale ; il finit par livrer les noms des assassins. Un an plus tard, ils furent à leur tour arrêtés en Californie.

Un préfet de police en caleçon

Les recherches contre la Black Liberation Army étaient dirigées par le préfet de police Frank X., chef du Bureau du crime organisé et, par ailleurs, préfet de police adjoint à New York. Al Chestone organisa une rencontre entre lui et moi. Frank était un homme corpulent, aux yeux bleus, très irlandais d'aspect, avec lequel nous parlâmes de l'affaire sur un ton très dégagé, très professionnel. Une sorte de taureau bien endurci, ce grand flic, tellement renfermé que je pris grand plaisir, dès cette première entrevue, à l'aborder en séductrice. Je voulais jeter à bas ce bastion de bienséance policière. Il me fallait découvrir un Frank X. en caleçon. Nous étions alors en 1972 et notre relation allait durer quinze ans. Nous nous retrouvions chaque mercredi dans une chambre du Marriott.

A part Fidel, Frank est l'homme que j'ai le plus aimé de toute mon existence. Nous étions obsédés l'un par l'autre. Bien entendu, il cherchait à connaître un peu mieux mon passé : à propos d'Ed Levy et d'autres relations que j'avais eues dans la mafia, avec lesquelles je continuais à sortir de temps à autre ; ou encore de l'espion russe Oleg L., avec lequel je m'étais liée d'affection quand le FBI m'avait chargée de lui tirer un peu les vers du nez. Peut-être lui en racontai-je même un peu trop, car Frank devint d'une telle jalousie à mon égard qu'il me suivit un soir où je devais rencontrer Oleg. Je lui en voulus énormément et nous eûmes dans ma voiture une terrible querelle, où il en vint, par pure jalousie personnelle, à me menacer de faire mettre un terme à la mission que m'avait confiée le FBI. Il pleuvait à flots. Frank avait garé sa voiture sous un arbre, dans une petite rue. Je ne m'étais pas aperçue que j'avais, du genou, touché l'interrupteur mettant en marche son émetteur-récepteur. Les collègues de Frank durent beaucoup s'amuser de cette scène de ménage tout ornée de commentaires concernant des collègues, des supérieurs hiérarchiques, des relations amoureuses. Comble du comble, son frein à main lâcha et le véhicule dévala la rue pour s'immobiliser dans une énorme flaque. En essayant de sortir de la voiture, Frank perdit non seulement son pistolet mais aussi le boîtier de contrôle des systèmes d'alarme sonore et lumineuse de sa voiture de police. Je ne pus que m'esclaffer en appelant par radio : « A l'aide ! Deux officiers de police en danger de mort ! » Frank me menaça de m'abattre, si jamais il retrouvait son arme dans cette grande flaque.

Jamais mon activité d'agent secret ne m'avait paru plus amusante. C'était un travail fascinant et excitant, bien qu'évidemment souvent dangereux. A cette époque-là, je me sentais rusée, invulnérable.

155

Oleg, mon général du KGB

Je puis considérer le cas d'Oleg L. comme le plus grand « succès » de toute ma carrière d'agent secret. Si Al Chestone s'en était occupé seul, jamais il n'aurait obtenu le même résultat. Aux murs de ma salle de bains étaient accrochées des photos d'officiers du KGB recherchés par le FBI. Un jour, l'oncle Al me montra celle d'un général de haute taille, d'aspect séduisant. Al Chestone avait des raisons de penser que cet agent particulièrement important, Oleg L., qu'il recherchait depuis déjà six mois, était entré aux États-Unis avec un passeport diplomatique.

Je reconnus immédiatement cet individu. Il avait emménagé dans notre immeuble une quinzaine de jours plus tôt. Sans doute allait-il rentrer, comme chaque jour, dans la demi-heure qui suivait. Aussi, j'installai Mark dans sa poussette et pris l'ascenseur avec Al et le petit. En redescendant, nous tombâmes bel et bien sur Oleg L., qui nous salua cordialement en passant. Oncle Al était devenu blême et moi, je bouillais de colère. Tout de même ! Nous avions photographié plusieurs fois ce personnage et, bien entendu, remis ces clichés au FBI. Manifestement, il y avait de graves déficiences dans les services de cet organisme !

Le plus fâcheux était qu'on pouvait reconnaître Al du premier coup d'œil comme appartenant au FBI. Il avait conservé le même code vestimentaire et portait de surcroît la bien trop compromettante épingle de cravate « PT-109 », que le gouvernement Kennedy avait offerte à tous ses agents. Oleg L. savait donc maintenant clairement à quoi s'en tenir. Du moins, comme je poussais la voiture d'enfants plusieurs pas derrière Al, pouvait-on espérer qu'Oleg L. n'ait fait aucun rapprochement entre nous.

Louis et moi nouâmes peu à peu des relations cordiales avec Oleg et son épouse. Heureusement, Louis parlait couramment le russe. De plus, la femme du général du KGB laissait assez clairement voir qu'une petite aventure avec Louis ne lui déplairait pas. Un jour, Oleg me demanda d'acheter pour lui une montre-bracelet de marque Seiko, car lui-même n'en avait pas le droit. Non seulement je lui procurai cette montre, mais je le familiarisai peu à peu, par quelques menus cadeaux, aux avantages du capitalisme. Je ne me souviens plus exactement quand nous en vînmes à des relations plus intimes. Officiellement, il était premier secrétaire de la délégation soviétique aux Nations unies – un gros poisson, donc. Au bout de deux ans, je le tenais si bien qu'il se mit à envisager de changer de camp. Je lui procurais tout ce qu'il n'avait pas en principe le droit de posséder : une Bible, des diamants, des vêtements et des médicaments à envoyer à sa famille, à Moscou... Les diamants provenaient de stocks confisqués à la mafia, dont le FBI tirait parti à son tour.

Un jour, j'emmenai Oleg en excursion dans le Connecticut, c'est-à-dire hors du rayon de quelque quarante kilomètres qui lui était imparti. Oleg réfléchissait alors sérieusement aux moyens de sortir de son circuit. Son mandat à New York touchait à sa fin, il serait bientôt rappelé en Union soviétique. Il redoutait cependant, s'il choisissait de passer de notre côté, que le KGB ne massacre sa famille. Je lui dis : « Dans ce cas, laisse tomber, ils te retrouveraient bientôt toi aussi. »

Il choisit cependant de passer à l'acte, avec ce motif annexe qu'il était tombé éperdument amoureux d'une jeune Canadienne. Je le confiai alors aux soins de l'oncle Al, qui l'emmena dans une ferme de la CIA, en Virginie. Il vit toujours aux États-Unis, sous une nouvelle identité. Le KGB exécuta effectivement son épouse, mais heureusement pas ses enfants. L'espionnage est vraiment un boulot de merde...

Pour mieux pouvoir effectuer mes clichés d'information dans le quartier, j'avais acheté une bicyclette avec un siège de bébé pour Mark. J'emmenais ainsi régulièrement mes enfants dans le parc et ses environs. Sous couvert de photographier Mónica et Mark, je prenais des instantanés d'agents albanais, russes, bulgares, est-allemands... J'avais toujours sur moi un Minox, qui permettait un remarquable rendu et, surtout, comportait un discret téléobjectif. Outre mon travail d'information pour le FBI, j'étais auxiliaire au commissariat du 23ᵉ secteur de New York, ce qui me donnait également l'occasion d'exercer mon activité favorite : l'investigation. Je montais avec deux détectives dans un taxi spécialement équipé à des fins policières. L'un de mes acolytes conduisait le véhicule, l'autre et moi-même nous asseyions derrière comme de simples clients. Ainsi pouvions-nous passer inaperçus partout où nous voulions. Un jour, nous reçûmes par radio la notification qu'une femme venait de se faire violer dans Central Park et que le suspect, un Espagnol, était en fuite. Nous sillonnâmes tout Central Park par des voies de service et soudain j'aperçus le fugitif. Instinctivement, j'ouvris la porte pour m'emparer de lui. Mon collègue m'aboya de ne surtout pas sortir de la voiture, mais avec une seconde de retard : j'avais déjà sauté, et la portière que j'avais ouverte alla claquer contre un tronc d'arbre.

Je retournai en hâte à la voiture et dus maintenir cette portière branlante durant toute la chasse à l'homme qui s'ensuivit. Nous foncions derrière le suspect, qui prit un escalier donnant sur un étang. Tout à la fièvre de cette course, nous dévalâmes nous aussi les marches, plutôt escarpées, faisant violemment brinquebaler la voiture qui atterrit dans l'eau. Le moteur gargouilla et s'arrêta.

Sans nous soucier de ce détail, nous jaillîmes du faux taxi et nous lançâmes à la poursuite du voyou, que nous rattrapâmes au niveau de la 96e Rue et emmenâmes au poste. « Où avez-vous laissé la voiture ? », demanda le chef en nous voyant arriver ainsi à pied. Nous nous contentâmes de répondre : « Elle est restée dans le parc et ne veut pas redémarrer. » Cette affaire nous valut de sérieuses contrariétés, quand il s'avéra que le véhicule était tout bonnement fichu.

Je m'attardais souvent après 19 heures dans mon bureau du 23e secteur, à travailler sur des dossiers, établir des profils de malfaiteurs, recouper différentes sortes de délits... Ma principale activité consistait – détail cocasse – à recevoir les appels de locataires de notre immeuble, quand ils s'apercevaient qu'en leur absence quelqu'un s'était introduit chez eux. La personne concernée descendait alors au rez-de-chaussée où Louis, plein de compassion, lui suggérait de porter plainte immédiatement, par téléphone, au commissariat du 23e secteur. Je répondais toujours, en pareil cas, avec un accent nasal bien caractéristique des États du Sud pour ne pouvoir être reconnue, puis notais patiemment tous les détails de l'effraction et promettais aux victimes de leur envoyer le plus rapidement possible les meilleurs policiers de notre commissariat. Après quoi deux agents, dûment sélectionnés et formés par le FBI, venaient récupérer le formulaire que j'avais rédigé sur cette effraction, prenaient le matériel nécessaire au repérage d'empreintes digitales ou autres indices, et gagnaient mon immeuble. La plupart du temps, grâce à leurs manières affables et compréhensives, tout à fait professionnelles, ils parvenaient à rassurer les locataires et ceux-ci en venaient à penser que l'effraction était le fait d'un camé, espérant trouver quelque objet de valeur à revendre pour se procurer de la drogue. Après tout, ne vivions-nous pas dans un quartier de junkies ?

Les rats

Curieusement, notre réseau d'espionnage, si subtilement organisé, se vit attaqué par les rats. Mark n'avait que dix-neuf mois quand je l'entendis, en pleine nuit, pousser des cris affreux. Je me réveillai en hâte et dus constater qu'il avait le visage en sang. Un rat l'avait mordu ! Je découvris l'animal dans le placard de la chambre et, dans un accès d'hystérie, allai chercher mon revolver pour l'abattre. Mais la sale bête s'était enfuie par le tuyau d'aération et, malgré toute ma rage, c'est en vain que je lui tirai dessus. Les services sanitaires ne tardèrent guère à établir que l'immeuble, du moins jusqu'au sixième étage, était envahi par les rats. Ils auraient souhaité faire entièrement évacuer le bâtiment, mais le FBI, tout en acceptant une désinfection en bonne et due forme, insista pour que les locataires ne se sentent pas réellement menacés. Il suffisait pour cela d'obstruer les conduits de climatisation.

Les morsures du rat avaient provoqué chez Mark de fortes fièvres. Quand les services d'urgence sanitaire vinrent le chercher, il était à moitié dans le coma ; son état fut considéré par les médecins comme préoccupant. Je restai une semaine entière à ses côtés.

Le plus amusant, dans cette histoire, est que Mark fut traité par une Russe chargée de la santé des diplomates soviétiques en poste aux Nations unies. Elle disposait dans son armoire à pharmacie d'une pommade miracle, qu'elle appliqua sur le visage de mon fils et qui de fait sut effacer les blessures. Ce que cette femme me demanda, en guise de rémunération, fut tout simplement un exemplaire de la Bible. Évidemment surveillée par les agents du KGB, elle n'osait pas entrer dans une librairie new-yorkaise et en faire elle-même l'acquisition. Je lui procurai, outre le texte saint, un livre de cuisine et quelques présents.

A cette époque, nous fournissions à nos locataires tout ce qu'ils souhaitaient, à titre de « cadeaux » qu'ils étaient tout à fait en droit d'accepter, à condition bien sûr de ne pas nous payer officiellement pour telle ou telle acquisition précise. Mark n'avait guère que vingt-deux mois quand je lui confiai la mission d'aller lui-même porter aux Russes ces petits paquets. Il sut gagner leur sympathie. Et, recueillant grâce à lui des informations non dénuées d'intérêt, nous les faisions remonter à nos supérieurs hiérarchiques, en indiquant le rôle qu'avait directement joué notre fils. C'est ainsi qu'il apprit à mener des opérations, devenant le plus jeune agent qu'eût jamais connu le FBI.

L'oncle Al nous demanda un petit échantillon de cette pommade miracle que l'on avait appliquée sur la joue de Mark. Il la fit analyser et, quelque temps plus tard, un important laboratoire pharmaceutique lança massivement sur le marché une parfaite imitation de ce médicament.

Les souvenirs de Mark

Quand je rencontre Mark, il a dans les trente ans, l'allure robuste, des cheveux noirs en tresses touffues. Il porte des bottes militaires et des vêtements à dominante noire. Sous son blouson de cuir, il porte presque toujours son T-shirt préféré, sur lequel est floqué : « Shit happens ».

Mark mène des études de géologie ; à ses moments perdus, il fabrique des maquettes d'avions de combat. Particulièrement intéressé par la Seconde Guerre mondiale, il n'en est pas moins capable de citer tous les avions de combat du siècle écoulé et d'en fournir les performances respectives. Il partage avec sa mère une admiration certaine pour les performances militaires de l'armée allemande et, tout comme Marita, raille le « dilettantisme » des Américains. L'Allemagne représente, dans leur mythologie familiale, une sorte de paradis perdu.

Par la fenêtre de la cuisine de Marita, donnant sur la sombre petite cour intérieure du pâté de maisons, on aperçoit le petit appartement de Mark. Il suffit à sa mère de crier « Mark, tu es là ? », pour que ce dernier accourre immédiatement. « C'est le seul homme auquel je puisse vraiment faire confiance », dit-elle de lui. « Jamais il ne m'a abandonnée, même dans les situations les plus difficiles. »

Le principal projet de Mark est d'aider Marita à terminer son existence délivrée de tout souci. « Pour la première fois de sa vie, elle s'est trouvé un chez-soi. Je m'occupe d'elle. Jadis j'étais son petit, maintenant la situation s'est presque inversée, c'est elle la jeune fille et moi son capitaine Lorenz. » Il a installé en travers de la cour une sorte de funiculaire pour lui faire passer des messages ou des vivres. De la cantine d'un hospice avec lequel il s'est arrangé, Mark a rapporté ce jour-là un boudin au curry et de la salade. Marita partage cette nourriture avec son vieux chien Wussy.

Les tensions existent cependant bel et bien entre la mère et le fils, chaque fois que celui-ci évoque des épisodes qu'ils ont vécus ensemble : elle ne manque jamais d'en donner une version nettement édulcorée. Soudain le regard de Mark devient alors glacial et il dit, d'une voix tranchante : « Please, Mom, j'ai tout de même le droit de m'exprimer, arrête s'il te plaît de me couper la parole comme ça ! »

Tout comme sa sœur Mónica, ce dont Mark souffre le plus est de n'avoir aucune relation avec son père. Voici quelques années, il a réussi à trouver l'adresse de Louis

Yurasits et lui a téléphoné. Mais son père lui a répondu, clair et net, n'avoir aucune envie de le voir, ajoutant que si jamais Mark le rappelait, il porterait plainte pour harcèlement. Mark a bien souvent demandé à sa mère pourquoi Louis l'avait rejeté de façon si brutale. L'explication de Marita, selon laquelle Yurasits étant sans doute encore dans les rangs du FBI, il ne pouvait avoir aucun contact avec son fils, ne le convainc guère. Mark consacre une bonne heure à m'expliquer qu'il ne sait toujours pas bien dans quelles circonstances il est venu au monde. Lorsque Louis Yurasits les quitta, sa mère et lui, il en souffrit beaucoup. Il adorait son père. Pour lui rendre cette séparation moins douloureuse, Marita prétendit alors que son véritable père n'était pas Louis, mais Ed Levy.

A la puberté, il menaça purement et simplement de se séparer de sa mère. Elle lui annonça cette fois-ci qu'en réalité il n'était pas non plus le fils d'Ed Levy, mais bien du préfet de police Frank X. Après cette dérobade, je suis persuadé qu'aujourd'hui encore Mark ignore qui est son véritable père. Il a brûlé l'unique photo qu'il avait de Louis Yurasits et me déclare abruptement : « C'est à lui que je ressemble le plus. »

Parmi les documents du FBI se trouve une note confidentielle d'un agent de Miami, datée du 2 janvier 1982, concernant une conversation avec Marita Lorenz. Le nom de cet agent a été passé à l'encre noire, mais le rapport est parfaitement clair :

« Marita Lorenz a eu d'Ed Levy un fils, de son état civil Mark Edward Lorenz Yurasits. Levy a versé à Louis Yurasits 50 000 dollars pour que ce dernier épouse Marita Lorenz et assure à Mark une identité légale. Louis Yurasits a donc signé une déclaration en paternité. Ed Levy n'en a pas moins continué de fréquenter Marita Lorenz deux ou trois fois par semaine et à lui verser quelque 3 000 dollars par mois pour ses menues dépenses. »

Marita se souvient parfaitement de cette note, qui figure d'ailleurs dans son propre dossier au FBI. « Ah là là », s'écrie-t-elle, « si j'ai accepté cette reconnaissance en paternité, c'était seulement pour me venger d'Ed. » Levy lui avait en effet demandé de l'argent en 1979, parce qu'il lui fallait, sous menace de mort, verser au clan Gambino une commission mensuelle de 10 000 dollars.

D'après son frère aîné Joe, un tel acte de vengeance par désinformation était tout à fait dans le style de Marita, car « elle aimait jouer. Elle avait hérité de notre mère son goût de la mise en scène. Il lui fallait toujours être au centre du spectacle. » Joe estime que beaucoup d'apparentes contradictions dans la vie de sa sœur tiennent à ce trait de caractère. Par exemple, participer à l'action anticastriste alors qu'elle n'avait jamais cessé d'être amoureuse de Fidel ne lui avait posé aucun problème. « Elle est très spontanée, elle agit toujours selon son idée du moment. »

Ainsi lui était-il venu en tête de s'infiltrer dans les familles mafieuses de New York, alors même qu'elle était mariée à un agent du FBI et entretenait deux liaisons, l'une avec le chef de la police, l'autre avec un mafioso. On n'arrivait plus à savoir au juste pour qui elle travaillait... Joe me répète : « Sans doute pour elle l'important n'était-il pas le résultat, mais simplement le jeu. »

De la relation que Marita avait eue avec Ed Levy, Joe conserve les meilleurs souvenirs, car toute la famille en profita. Ed Levy, ce gentleman aux manières parfaites, était souvent invité à manger chez Marita et sa mère. « Chaque fois qu'il venait chez nous, il apportait une vingtaine de filets mignons qu'il déposait dans le réfrigérateur. » Un jour, alors que Joe était encore étudiant,

Eddy voulut lui proposer un travail de « gardien de cimetière » dans un bâtiment industriel abandonné où la mafia « enterrait » ses victimes dans le béton. Mais Joe déclina cette proposition, car il voulait solliciter un poste au ministère des Affaires étrangères et allait certainement être l'objet d'une enquête approfondie. « Je comprends, répondit Ed Levy, en ce cas tu ne peux me servir à rien. »

Ravi de retrouver ces souvenirs, Joe éclate de son rire joyeux et communicatif. Un jour qu'il était allé rendre visite à sa sœur Marita, dans ce building new-yorkais infesté d'agents de toutes sortes, il se trouva qu'un dangereux malfaiteur, poursuivi par la police, s'était réfugié dans la cave. Marita, armée de son pistolet, descendit derrière le gangster et le tint en joue pendant vingt minutes, jusqu'à l'arrivée des policiers. Un officier saisit alors son arme pour la contrôler et, à son grand étonnement, dut constater qu'elle n'était pas chargée ! Joe conclut, élogieusement : « Marita, rien ne lui fait peur. »

Mon Watergate

C'est en 1972, tandis que j'étais toujours l'épouse légitime de Louis Yurasits, que survint l'effraction du Watergate, le siège du Parti démocrate, laquelle entraîna la démission du président Nixon. Un journal publia à cette occasion les photos des cambrioleurs, parmi lesquels je reconnus immédiatement mes compagnons des Everglades : Howard Hunt, dont j'avais fait la connaissance à Miami sous le surnom d'« Eduardo » et qui venait régulièrement nous apporter nos enveloppes de billets, ainsi que mon vieil ami et formateur Frank Sturgis.

Frank fut condamné à une peine de prison et envoyé à Danbury, dans le Connecticut. Outre l'effraction du Watergate, il avait commis d'autres forfaits pour le compte de Nixon. Bien qu'ayant plus d'une mort sur la conscience, il s'attendait à une mesure de grâce. Ne voyant rien venir, il se sentit trahi et, pour se venger, prit contact avec le *Daily News* de New York. Il entendait vendre à ce quotidien l'autobiographie d'un James Bond de la CIA.

Notre concierge me dit un jour qu'un reporter de ce journal était venu pour rencontrer une certaine Marita Lorenz. « De qui peut-il donc s'agir ? », répondis-je – le concierge ne me connaissait que sous le nom de Mme Yurasits. Après en avoir référé au FBI, j'accordai un entretien à ce journaliste, en fait pour savoir ce qu'il avait en tête. Il me parla du feuilleton qu'il allait tout prochainement écrire avec Frank Sturgis sur la vie de celui-ci. Il leur fallait que le rôle que j'avais joué en Floride, ainsi que ma tentative d'assassinat de Fidel Castro, s'y trouvent minutieusement décrits. Il voulait même écrire, à l'instigation de Frank Sturgis, que durant mes amours avec Fidel, un bazooka se trouvait sous le lit. Il avait également compulsé des photos, dont celle de Fidel et moi à bord du *Berlin*.

Si jamais ce récit était effectivement publié, toute ma couverture volerait en éclats. Mais peut-être était-ce le but recherché ? Le FBI tenta désespérément d'empêcher ce projet du *Daily News*. Moi-même, entre-temps, allai voir Frank Sturgis dans sa prison. Il en parut ravi, mais j'étais folle de rage et l'incendiai : « Quel besoin as-tu donc de me mêler à cette affaire du Watergate ? » Je lui demandai aussi s'il avait abattu Alexander Rorke et Camilo Cienfuegos. Il répondit seulement, en riant, que c'était l'affaire de la CIA. Sturgis savait que notre conversation était écoutée. Il estimait avoir été injustement condamné. N'avions-nous pas, au bout du compte, beaucoup œuvré pour le gouvernement américain ; n'avions-nous pas risqué nos vies pour notre pays ? Lui qui avait toujours compté sur la protection de ses parrains politiques se sentait floué cette fois-ci. Il reconnut en définitive m'avoir choisie comme personnage captivant de son récit et me conseilla de mettre à profit cette « publicité » pour gagner pas mal d'argent. Le feuilleton devait compter six épisodes.

Un jour, c'était en été 1975, j'aperçus à bonne distance, en grand titre sur la vitrine du marchand de journaux de la 86ᵉ Rue : « Sa mission : tuer Fidel ! » J'avais alors quinze ans de plus, certes, mais il me parut certain que chaque lecteur ayant regardé les photos en pages intérieures me reconnaîtrait au premier coup d'œil.

Sturgis vendit son histoire à bien d'autres journaux, avec chaque fois des souvenirs inédits. Jamais rien, cependant, concernant l'assassinat de Kennedy. Ces articles me firent tout perdre : mon travail avec le FBI, mon mariage avec Louis, mon rôle de taupe. Les locataires de l'immeuble savaient désormais à quoi s'en tenir et sortaient de l'immeuble à la va-vite. Les Russes se firent construire un nouvel immeuble – soigneusement dépourvu de micros.

Louis et moi ne tardâmes pas à nous séparer. Il est redevenu gérant d'immeubles, quelque part. Il refuse tout contact avec moi et avec Mark. La seule chose dont j'étais alors certaine, c'est que je devais me venger de la CIA.

L'agent spécial Chestone

Conformément à la loi sur la liberté d'information, qui autorise tout citoyen à s'adresser aux services secrets, je demande des renseignements sur l'ex-collaboratrice du FBI Marita Lorenz. La réponse est lapidaire : « Cette personne n'a jamais figuré parmi le personnel du FBI. » La seule preuve écrite de sa collaboration avec cet organisme est l'acte officiel qui trône au-dessus du lit de Marita. Il y figure, en date du 29 octobre, avec la signature du directeur adjoint du FBI, John F. Malone, que celui-ci entend la remercier « de son travail remarquablement dévoué et d'une extrême valeur au service des États-Unis et du FBI » (voir document page suivante).

Malgré cette attestation officielle, Marita a totalement disparu des registres officiels des services secrets américains, comme de la police. La CIA et le FBI la considèrent depuis longtemps comme une personne « imprévisible » et « peu loyale ».

Pourtant, l'entretien que j'ai avec son ancien supérieur Al Chestone, entre-temps devenu patron de l'entreprise de sécurité Supreme Associates, démontre qu'il n'en est rien. Âgé maintenant de quatre-vingts ans, il arrive devant l'hôtel au volant d'une élégante Chevrolet blanche. Un vrai gentleman du FBI. S'étant bien assuré de mon sérieux, il s'informe avec beaucoup d'attention de la situation où se trouvent Marita et Mark, et me dit qu'il serait heureux de les rencontrer l'un et l'autre. Al Chestone juge également de façon sévère l'attitude du FBI à l'égard de Marita. « Jamais je n'aurais agi ainsi envers elle. C'était mon meilleur agent, avec des qualités extraordinaires et un dévouement sans faille. Un flic comme on en trouve peu. »

Chestone avait dû, à l'époque, recruter en masse, face au rapide accroissement du nombre d'agents communistes à New York. La guerre froide était alors à son apogée et New York constituait bien sûr un terrain de prédilection. Marita possédait cette souveraine qualité de savoir gagner la confiance d'autrui, par son « charme naturel ». Sur les fonds du FBI, elle sut organiser pour des diplomates de l'Est et leurs épouses des soirées où elle gardait discrètement l'œil sur tout un chacun. Grâce à son excellente mémoire, elle put dresser ensuite de très utiles fiches et permit au FBI de découvrir bien des choses sur les véritables activités de diplomates en poste aux Nations unies.

Bien évidemment, Al Chestone n'ignorait rien du temps que Marita avait passé à Cuba. « Son ancienne histoire d'amour avec Castro s'était terminée dans les pires conditions. » Mais, selon lui, Marita Lorenz était américaine de tout son cœur et avait beaucoup contribué à « déjouer le travail de sape contre notre pays ».

UNITED STATES DEPARTMENT OF JUSTICE

FEDERAL BUREAU OF INVESTIGATION

New York, New York
October 29, 1971

In Reply, Please Refer to File No.

Personal and Confidential

Mrs. Louis Yurasits
250 East 87th Street
New York, New York

Dear Mrs. Yurasits: (ILONA MARITA LORENZ)

   It has recently been brought to my attention that assistance being given by you has been of extreme value to the United States Government and the operation of this Bureau in particular.

   Your cooperation, devotion, and sincerity are most appreciated by this Bureau and matters of a security and criminal nature are now being handled in a more thorough manner because of your unselfish desire to assist.

   I wanted you to know that on behalf of this Bureau I am extremely pleased with your outstanding attitude and conscientious devotion and wish to personally thank you for your efforts.

     Sincerely yours,

     John F. Malone

     JOHN F. MALONE
     Assistant Director in Charge

7

MARITA, TÉMOIN AU PROCÈS
DE L'ASSASSINAT DE KENNEDY

A l'époque où le *Daily News* publiait des articles dévoilant mes activités passées avec Frank Sturgis, le Congrès mit en place diverses commissions pour examiner les opérations illégales menées par la CIA et leurs éventuels rapports avec des assassinats politiques : la Church Commission, la Rockefeller Commission et surtout le House Select Committee on Political Assassination, qui travaillait principalement sur les meurtres de Martin Luther King et de John Fitzgerald Kennedy. Plusieurs anciens compagnons de l'époque des Everglades se sentirent mis sur la sellette, et certains membres de la mafia paniquèrent à l'idée qu'on allait peut-être faire d'eux des boucs émissaires, pour éviter que l'opinion publique n'apprenne quoi que ce fût sur leurs relations avec les milieux politiques.

La mort de Rosselli

Le premier concerné fut Johnny Rosselli, celui qui m'avait en 1960 remis les cachets empoisonnés destinés à Fidel. Il fut convoqué comme témoin à propos de ses contacts avec la CIA et de ce qu'il savait sur l'assassinat de Kennedy. Sa première déclaration demeura assez vague, mais il assura que dans les quinze jours il serait en mesure d'en fournir une seconde, beaucoup plus consistante.

Le 7 août 1976, un pêcheur découvrit, flottant dans les eaux de Floride, plus exactement de la Dumflounding Bay, un gros bidon de pétrole que l'on ouvrit après l'avoir repêché. Il contenait le cadavre morcelé de Johnny. A première vue, cela ressemblait fort à un meurtre de la mafia, mais ce point ne fut jamais éclairci. Peu de temps après, ce fut au tour de Sam Giancana d'être abattu dans sa cuisine – quelques jours à peine avant qu'il ne témoigne devant la commission d'enquête.

En octobre 1977, Frank Sturgis et moi-même fûmes convoqués pour témoigner devant cette commission. Sturgis était à nouveau en liberté. Au cours de cet entretien, j'eus le sentiment qu'il cherchait à parler le moins possible, à éviter que ne soient évoquées certaines opérations de notre ancien groupe de la CIA, en Floride.

Gaeton Fonzi, de la commission sénatoriale sur les « crimes politiques », qui m'avait déjà entendue deux fois, souhaita me citer devant la commission d'enquête. A Fonzi, j'avais en effet parlé de mon voyage à Dallas en compagnie de Frank et d'« Ozzie ».

La traîtresse

Bien qu'il m'eût appelée « traîtresse » parce que j'étais disposée à déposer, Frank ne m'en demanda pas moins de continuer à collaborer avec lui. Il voulait que nous prenions l'avion pour l'Angola, où il entendait mettre sur pied un nouveau front d'opérations clandestines contre les forces cubaines agissant dans ce pays. La mission qu'il voulait me confier était de m'infiltrer parmi les conseillers militaires de Fidel. Je refusai sa proposition, certaine de ne pas revenir vivante d'une pareille aventure. J'expliquai à Frank que je ne pouvais effectuer ce travail ma mère se trouvait alors très malade, j'avais mes deux enfants et mon ami, Ed Levy. Il me répondit : « Eh bien ça ne va pas durer, ce Juif va disparaître de ton existence. » Derrière mon dos, il mena une enquête sur Ed et alerta les services fiscaux. Ed fut alors arrêté et inculpé pour escroqueries. Les journaux de New York titrèrent : « Le plus prodigieux escroc en assurances de tous les temps. »

De fait, Ed récoltait des millions en assurances factices, grâce auxquels il pouvait à son tour assurer les chevaux de course des patrons de la mafia. Ces sommes illégalement acquises étaient versées sur un compte en Suisse. Non seulement Ed fut condamné à une lourde peine de prison, mais il eut à ses trousses la mafia, qui lui réclama son dû dès avant même l'ouverture du procès. Craignant à juste titre d'être assassiné en prison, il appela à son secours le FBI et demanda à être déplacé au plus vite dans une prison fédérale, en Floride.

De là, il m'écrivit une lettre assez violente à l'égard de mon « ami de la CIA » Frank Sturgis, qui aurait fait capoter ses affaires. Il reconnaissait avoir commis des erreurs : on ne peut s'accoler sans risque à la mafia. Mais il souhaitait que je me souvienne m'être mêlée de ses affaires et me demandait, en compensation, de lui procurer de l'argent pour régler ses dettes envers la famille Gambino. Si jamais je refusais, son ami Murray Schakman se chargerait de « me réduire en miettes ». Ce qu'Ed me demandait en fait, c'était d'écrire un livre sur ma vie avec les deux dictateurs Fidel et Marcos. Sur les bénéfices que j'en tirerais, je verserais chaque mois 10 000 dollars à la famille Gambino – et il aurait ainsi la vie sauve. Cela m'indigna qu'Ed soit incapable de régler seul ses problèmes avec la mafia.

173

Après que je refusai de partir avec Sturgis en Angola pour construire là-bas une « cinquième colonne » anticubaine, ma fille Mónica, alors âgée de quinze ans, pensa que Sturgis me causerait des ennuis. Je lui avais dit un jour, en manière de plaisanterie : « Celui-là, il veut me descendre. » Elle avait toujours eu peur de lui. Quand Sturgis débarqua à New York pour discuter avec moi, Mónica se procura un revolver qu'elle alla cacher dans un buisson, derrière l'immeuble. Puis elle me téléphona d'une cabine publique. Elle voulait purement et simplement empêcher que je sois tuée. Je contactai mon ami le chef de police, Frank X., qui à son tour alerta le commissariat du 23ᵉ secteur. Quand Sturgis descendit de son taxi, Mónica lui tira dessus. Par bonheur, elle ne l'atteignit pas. Elle s'enfuit en larmes, mais fut rapidement rattrapée par les policiers. Trois pâtés d'immeubles, entre East End et York Avenue, avaient été neutralisés et des tireurs d'élite postés sur les toits. Frank Sturgis, en revanche, fut arrêté chez moi, puisqu'il pesait sur lui un avis de recherche. Il fut relâché par la suite, moyennant une caution de 25 000 dollars.

En fuite

Après cet épisode, commencèrent les menaces. Ainsi, après la découverte du cadavre de Johnny Rosselli à Dumflounding Bay, quelqu'un glissa-t-il sous ma porte un journal où l'on avait écrit à la main, à côté de l'article : « Maintenant, c'est ton tour. »

Je reste fermement convaincue que la CIA avait l'intention de m'assassiner. Et lorsqu'on est dans sa ligne de mire, il est inutile de s'enfuir ou de se cacher. J'aurais dû être tuée. Mais j'ai toujours réussi à devancer cet adversaire d'une longueur, parce que je connais fort bien ses procédés. Je suis une survivante. Il m'a bien fallu, au

174

camp de Bergen-Belsen, apprendre comment garder son souffle lorsque l'on vous plonge la tête sous l'eau.

A la suite de mes problèmes avec Ed, puis des manœuvres de Sturgis, je choisis d'entrer dans la police. On me fit suivre un programme de protection des témoins, dans une petite maison de Miami Springs Villa, un secteur un peu à l'écart, non loin de l'aéroport de Miami. Une nuit, je fus réveillée par une légère pression sur le cou. En ouvrant les yeux, j'aperçus un homme nu, qui pressait sur ma nuque la lame d'un couteau. Mes deux gardes semblaient avoir disparu. Ce pervers me dépeignit avec beaucoup de précisions les traitements sexuels qu'il avait l'intention de me faire subir. Il transpirait, haletait. La lame de son couteau s'enfonça un peu plus dans ma peau tandis qu'il me plongeait son pénis dans le ventre. Je n'avais bien sûr pas de pistolet en main, mais dans la poche arrière de mon jean, au pied du lit, se trouvait un couteau à cran d'arrêt. Du ton le plus calme, je lui proposai d'aller plutôt dans une autre chambre, pour ne pas réveiller les enfants. Je me dirigeai alors vers la porte, m'emparai au passage de mon couteau, déclenchai le cran d'arrêt et lui portai au poignet un coup inoffensif. Puis je sautillai sans cesse de droite à gauche, l'obligeant ainsi à bouger lui aussi et prenant garde qu'il ne parvienne à m'attraper. Tout à coup, Mónica apparut à la porte en criant : « Maman, maman ! » Le cinglé s'en trouva désarçonné, et j'en profitai pour le blesser à la poitrine et au bras. Il s'écroula sur un matelas puis se releva, gagna la porte et prit la fuite. Dès qu'il fut sorti, je fermai à clé et entrepris de nous barricader. Mónica appela alors Steve Czukas, l'agent chargé de ma protection. J'étais totalement éreintée et ne voulais plus lâcher mon cran d'arrêt. Steve Czukas était livide. On dut administrer à Mónica une piqûre de calmant. Pour

mes deux enfants, ce fut une épreuve des plus trauma-
tisantes. « Que portait ce type sur lui ? », me demanda
Steve. « Un pénis et un couteau », répondis-je, sarcas-
tique. On nous transféra alors dans un hôtel proche de
l'aéroport, où nous disposâmes d'une suite rutilante,
comportant une grande salle de bains, un balcon et
une télévision. On nous y apportait des huîtres, de la
viande et tout ce que nous désirions. L'auteur de l'agression fut retrouvé quelques semaines plus tard et nos
vigiles, qui s'étaient absentés malgré la consigne, furent
dûment réprimandés.

Mon Livre vert

Toujours sous protection policière, je me mis à rédi-
ger mes souvenirs dans un « Livre vert ». Si je lui donnai
ce nom, c'est parce que Steve Czukas, chargé de ma
protection, m'avait apporté un cahier à reliure verte dans
lequel j'étais censée rendre compte de mes activités
durant les jours qui avaient précédé l'assassinat de Kennedy. « Juste les faits bruts, sans aucune supposition,
mais dans les moindres détails », précisait la directive.
Steve Czukas fit parvenir à Washington ce « Livre
vert », où la commission d'enquête du Congrès (HSCA),
chargée des meurtres de John Fitzgerald Kennedy et de
Martin Luther King, l'examina, après quoi il resta
quelques années classé « confidentiel défense »... Il ne fut
déclassé que récemment, ce qui me permit enfin de me
procurer aux Archives nationales une copie de mes souvenirs d'alors. En voici un extrait :

> « Environ un mois avant le 22 novembre 1963, nous
> nous rendîmes, moi-même, Frank Fiorini (Sturgis),
> Ozzie (Lee) et plusieurs Cubains, dans deux voitures,
> chez le Dr Orlando Bosch. C'était une rencontre de

conspirateurs, où il fut question de se rendre à Dallas.
Les hommes se penchaient sur des cartes routières.
Je me dis qu'il s'agissait sans doute, une fois encore,
d'aller dérober des armes dans un dépôt et ne prêtai
pas attention à leur conversation, songeant plutôt à ce
qu'allait devenir mon existence avec ma fille. Marcos
Pérez Jiménez ayant été expulsé des États-Unis, j'avais
tout perdu. Aussi, des mots qui furent prononcés chez
Orlando Bosch, seuls quelques-uns me restent en
mémoire : "armes de forte puissance", "trépieds", "bâti-
ments", "contact"... A l'extérieur stationnait une autre
voiture, avec quatre hommes à son bord.

Mme Bosch nous servit du café cubain ; un enfant
fut renvoyé hors de la pièce. C'est seulement lorsque
Frank prononça le nom de Kennedy que je redevins
attentive et demandai : "Kennedy ? Quel rapport avec
notre boulot ?" Tous braquèrent leurs yeux sur moi.
Ozzie demanda à Bosch et à Frank ce que je cherchais
à savoir. Je contre-attaquai : "Qu'est-ce que ce foutu
traître vient faire dans cette histoire ?" Frank prit ma
défense : "Écoutez, Marita a tenu tête à Bobby Kennedy
lors de l'expulsion de Marcos, elle a tout perdu dans
cette affaire. Elle reste avec nous !" Je me souviens aussi
que, dans l'altercation avec Ozzie, je le traitai, en espa-
gnol, de chivato, *c'est-à-dire de mouchard. Il réagit vio-*
lemment, aussi lui demandai-je d'où il connaissait le
sens de ce mot. Il répondit qu'il l'avait entendu pronon-
cer à Cuba.

Courant novembre, je dis à Frank que j'étais prête à
l'accompagner à Dallas comme prévu. Je me sentais
égarée ; de plus j'avais besoin de fuir tous ces journa-
listes qui continuaient de me harceler sur mes rapports
avec Marcos et cette fameuse recherche en paternité.

Après la rencontre chez Bosch, je restais persuadée
que nous préparions simplement un nouveau détour-
nement d'armes. Je confiai ma fille Mónica à mon
amie Willie May Taylor, qui me servait de baby-sitter.

Page 14, cont.

Miami Fla.
July

We drove all night, along the coast
and nobody spoke much. Frank drove
I sat in the back seat and slept. It
was hot & crowded and I sat next to a
Cuban. We drove through the
city of Dallas to the outskirts to a
drive-in motel. I remember a particular
street, wide, very clean with groomed
plants & flowers in the center. I also
remember a big Texas steer restaurant
with a huge steer on its roof. "The
biggest steaks in the State of Texas".
There was talk of "drive
within the speed limit, — "don't get a
blasted ticket". I remember a sign
reading "Leaving city Limits, (DALLAS),
until we backed up into a gravel
parking lot of a motel outside the city
Frank and Pedro registered -
we had two rooms, I'm sure, a door
to the other large room, — each room
had 2 double beds. Ozzie brought in
a newspaper and everybody read it.
Dressed, I fell asleep ontop
of one of the beds, Frank brought in

Extrait du « Livre vert » de Marita.

*Elle avait été domestique chez moi à l'époque de ma
relation avec le général Marcos Pérez Jiménez.*

*Passé minuit, nous repartîmes avec les deux voitures,
à huit ou neuf personnes. Auparavant, Frank, Bosch et
Pedro Diaz nous avertirent bien : aucun coup de fil sur
notre chemin, pas un mot d'espagnol au Texas, interdic-
tion de restaurant. Consignes absolues. Nous étions vêtus
de couleurs sombres. Il nous fallut toute la nuit pour
remonter la côte, dans un silence absolu. C'était Frank
qui conduisait. J'étais assise derrière, à côté d'un des*

Cubains, et m'endormis. Dans la voiture régnait une atmosphère étouffante.

Enfin nous parvînmes à Dallas, dans un motel de banlieue. Je me rappelle encore que sur le toit de l'établissement trônait un taureau géant, orné du slogan : "Les plus énormes steaks de tout l'État du Texas." Les hommes sortirent des coffres une incroyable quantité d'armes : tout un arsenal de pistolets et de fusils automatiques, de trépieds, de viseurs, de carabines... Ils étaient également munis d'explosif C-4. Frank expliqua au gérant du motel que nous faisions partie d'une association de chasseurs. Frank et Pedro allèrent examiner les chambres, au nombre de deux, avec chacune un lit double. Ozzie se procura un journal que nous lûmes tous attentivement. J'étais si épuisée que je m'écroulai tout habillée sur un des lits et m'endormis un bon moment. Frank, de son côté, partit chercher des sandwichs et de l'eau minérale.

Seuls Frank et Bosch étaient autorisés à répondre au téléphone le cas échéant. Frank attendait encore un "membre" : Jack Ruby, qui devait par la suite abattre Lee Harvey Oswald. Lorsque Ruby arriva, Frank alla discuter avec lui sur le parking. Le nouvel arrivant parut surpris de ma présence et interrogea Frank à ce propos. Plus tard je demandai à celui-ci : "Mais qu'est-ce que c'est que ce ramassis de mafieux ? De quoi s'agit-il, putain de Dieu, qu'est-ce qu'on fout ici ?" Frank me regarda d'un air tranquille et m'entraîna au-dehors pour m'expliquer : "Ta présence rend ces hommes nerveux. J'ai eu tort de t'emmener avec moi. L'affaire est trop importante, je préférerais maintenant que tu retournes à Miami."

Tout à fait d'accord, je lui confiai que nos nouveaux collaborateurs ne me plaisaient pas du tout. Ozzie et Ruby ne faisaient pas vraiment partie de notre groupe. Quand il fut question de mon départ, Eduardo (H. Hunt) demanda qui devait m'emmener à l'aéroport. Ce furent finalement Frank et Bosch. Eduardo resta au

179

motel à attendre. Je pris mon billet sous le nom de
Maria Jiménez. Je demeurai une journée à Miami, tout
heureuse de retrouver ma fille. Je pris alors la résolu-
tion de mettre un terme à mes rapports avec Frank et
ses anticastristes. Je n'en pouvais plus de toutes ces
affaires. J'avais en outre la désagréable impression que
le groupe de Frank n'était monté à Dallas que pour
exécuter quelqu'un. Mais je n'avais aucun moyen de
savoir qui, aucune idée sur la personne visée. »

Au Capitole

En mai 1978, les choses s'aggravèrent. Je fus appelée à témoigner à huis clos devant la commission d'enquête sur les « crimes politiques ». Faute de savoir quoi
faire d'eux, ne sachant à qui les confier, j'emmenai
avec moi Mark et Mónica. Le 1er mai, j'avais en effet
reçu du juge de district, William B. Bryant, une attestation stipulant :

> « *Aucune déposition ou autre acte concernant*
> *Marita Lorenz, demandés par elle-même ou par voie*
> *indirecte, ne sauraient être utilisés dans le cadre d'un*
> *procès public, car il pourrait en découler une mise en*
> *cause pour faux témoignage. »*

Ce document juridique, à lui seul, suffisait à me
garantir l'impunité quant à tous les délits que j'avais
pu commettre pour le compte de la CIA dans les
années soixante.

Quand je fus enfin admise dans la salle d'audience
du Sénat, on commença par me montrer les pièces à
charge, notamment mon « Livre vert » et plusieurs enre-
gistrements d'appels téléphoniques. Certains de ceux-ci
compromettaient Frank X. Lors d'une de ces communi-
cations, je lui avais demandé de laisser tomber sa partie
de golf pour venir faire un tour dans mon lit. Une autre

fois, alors qu'il était de service, il me dit : « Et puis merde, j'arrive. »

Les sénateurs voulaient aussi que je leur fournisse des informations bien précises : quand avais-je rencontré Oswald pour la première fois, qui d'autre se trouvait dans les deux voitures sur la route de Dallas... Je ne pus me souvenir, au-delà d'Orlando Bosch et de Frank Sturgis, que de Gerry Patrick Hemming, des deux frères Novo, de Pedro Díaz et de ce cinglé d'Ozzie. Je déclarai aussi aux membres de la commission que je m'étais sentie très troublée, durant mon vol de Dallas à Miami, par l'ambiance qui régnait dans mon groupe. J'avais alors décidé de retirer Mónica de chez la baby-sitter et de la conduire en avion chez ma mère, dans le New Jersey.

Le 22 novembre 1963, alors que notre appareil s'apprêtait à atterrir à Newark, le copilote nous fit savoir que l'aéroport était bouclé. On venait d'assassiner le président des États-Unis et les pistes étaient temporairement réservées aux avions officiels. Je fondis en larmes, en me disant : ce n'est pas possible ! Mon groupe est allé là-bas pour flinguer Kennedy ! Cela me paraissait impensable, j'en avais froid dans le dos. On apprit alors l'arrestation d'Ozzie. Il m'apparut instinctivement qu'il n'était dans cette affaire qu'un bouc émissaire, du reste très vite abattu par Jack Ruby... Bien entendu, je n'étais pas en mesure d'apporter la moindre preuve.

Je ne revis Frank Sturgis que des années plus tard. Évidemment, je lui demandai quel rôle il avait joué dans l'assassinat de Kennedy. Il se frotta les yeux et me répondit : « Il l'avait mérité. Il nous a foutus dans la merde, il était contre la guerre du Vietnam, il voulait accorder des pouvoirs aux Nègres, il a collaboré avec les communistes. Si c'était à refaire, je le referais. » Bien sûr, le FBI soupçonna également Frank Sturgis d'avoir tout manigancé. Lors d'un premier interrogatoire, il s'entendit signifier : « S'il se trouve dans ce pays quelqu'un susceptible d'assassiner notre propre président, ce ne peut être que vous. » Frank me rapporta ce propos avec une fierté non dissimulée. Il avait reconnu cette évidence face aux fonctionnaires du FBI mais, quant aux faits, avait affirmé s'être trouvé, au moment de l'attentat de Dallas, à son domicile de Miami, en train de regarder un navet à la télévision, en compagnie de son épouse. Celle-ci corrobora...

La commission sénatoriale me posa encore d'autres questions et aboutit à la conclusion que mes déclarations n'étaient pas « dignes de foi ». Cela tenait sans doute à ma mauvaise mémoire des dates. J'avais affirmé avoir connu Oswald en 1961, en Floride, alors que, cette année-là, il se trouvait encore en Union soviétique. Ensuite, j'avais rectifié cette première déclaration et assuré l'avoir rencontré pour la première fois à la fin de l'été 1962. Quoi qu'il en soit, selon le rapport final de la commission d'enquête, l'attentat contre Kennedy était le résultat d'une conspiration. Ainsi se trouvait écartée l'hypothèse d'un meurtre d'origine purement individuelle. Qui étaient donc les conjurés ? La commission affirma ne pas être en mesure de donner d'indications là-dessus.

Le labyrinthe de l'affaire Kennedy

La déposition de Marita en 1978, devant la commission d'enquête sur l'assassinat de Kennedy, apporta de l'eau au moulin de la gauche, convaincue dès le début que le président représentait une cible idéale pour la CIA et les milieux de pouvoir de son propre pays.

Enfin apparaissait un début de piste. Marita fut mentionnée comme témoin vedette par un grand nombre de journalistes et d'auteurs, notamment Mark Lane dans son passionnant ouvrage sur cet assassinat politique, Plausible Denial. *De même Oliver Stone demanda-t-il conseil à Marita pour le tournage du film policier* JFK, *qui fut reçu par le public comme une véritable bombe. Suite à la diffusion de ce film, plus de la moitié des Américains se déclarèrent convaincus que l'élimination de John F. Kennedy était le fait de l'establishment américain lui-même.*

L'affaire Kennedy divise l'opinion publique américaine depuis quelque quarante ans déjà. L'interprétation de cet assassinat s'apparente à une guerre de religion. Une autre hypothèse que celle du complot est que Lee Harvey Oswald n'ait été qu'un psychopathe communiste ayant agi seul. Mais on ne saurait non plus écarter l'idée qu'il ait agi pour le compte de Fidel Castro. Du reste, rien ne démontre que Lee Harvey Oswald ait effectivement été le communiste qu'il aurait dit être, admirateur de l'Union soviétique et de Cuba, ou que ce soit simplement la CIA qui l'ait fiché comme tel.

Les faits et gestes du jeune président Kennedy laissent la porte ouverte à chacune des trois hypothèses, car il menait une politique truffée de contradictions. Il souhaitait parvenir à une coexistence pacifique avec les pays de l'Est, en revanche il en voulait mortellement à Fidel Castro, en raison de la cinglante débâcle qu'avait représentée l'invasion de la baie des Cochons. Alors même qu'il accroissait les ressources accordées à la CIA pour développer la sale guerre contre Cuba, par le biais d'un étroit contrôle sur son frère Robert il écartait de plus en plus les vieux champions de la guerre froide et dissipait les miasmes de l'époque d'Allen Dulles. Il ordonnait de nouvelles actions de sabotage et de meurtre à Cuba, mais faisait désarmer, les livrant à eux-mêmes, les mercenaires radicalement anticommunistes formés naguère

par la CIA dans la clandestinité, en Floride. JFK comp-
tait dans les rangs de celle-ci, tout comme parmi les
Cubains exilés, partisans et adversaires, sans frontière
bien définie entre les uns et les autres. L'attentat de
Dallas reste aujourd'hui encore l'une des plus grandes
énigmes du XXᵉ siècle. Marita Lorenz elle-même n'est pas
en mesure de démêler ce mystère. Pourtant, ce qu'elle a
vécu apporte sans nul doute quelques éléments d'éluci-
dation. Comment le récit qu'elle fournit de ce voyage à
Dallas, en la compagnie notamment de Lee Harvey
Oswald, apparaît-il aux autres personnes concernées et
aux témoins d'alors ?

Que l'on me permette d'explorer un peu ce laby-
rinthe. Frank Sturgis est décédé en décembre 1983, d'un
cancer du poumon. Jamais il ne cessa, jusqu'à son der-
nier soupir, d'entraîner des mercenaires en Floride, afin
de « libérer » Cuba. Marita ayant déclaré, en mai 1978,
avoir fait le trajet avec Oswald en même temps que Stur-
gis, celui-ci fit savoir qu'il s'agissait d'un mensonge et
d'une « trahison » de sa meilleure collaboratrice depuis
de longues années : « Je suis profondément convaincu
qu'elle n'a pu agir ainsi de son propre gré. A mon avis,
elle ne l'a fait que sous la pression d'agents commu-
nistes. » Sturgis alla jusqu'à se soumettre, dans une émis-
sion télévisée, à un détecteur de mensonge, pour prouver
qu'il était totalement innocent de l'assassinat de Ken-
nedy. Marita avait accompli, comme agent de la CIA et
du FBI, un travail de grande qualité au service de la
nation américaine, ayant notamment amené un
important général du KGB, officiellement diplomate
aux Nations unies, à passer à l'Ouest. Elle avait « plus
de couilles que vingt agents de sexe masculin ». Selon
Sturgis, les services secrets castristes n'étaient peut-être
pas pour rien dans les déclarations de Marita. Les
Cubains, qui tenaient beaucoup à discréditer la CIA

dans l'opinion publique américaine, ne voulaient surtout pas que Lee Harvey Oswald soit tenu pour un agent de la Sûreté nationale cubaine.

Cette hypothèse impliquait que Steve Czukas, supérieur de Marita à Miami, qui l'avait fait entendre par la commission sénatoriale, fût en fait un agent double à la solde de Cuba.

Frank Sturgis fonda, fin 1963, un bureau de presse qui inondait la planète d'informations sur cette « Cuba connection » de Lee Harvey Oswald : Castro aurait utilisé Oswald pour abattre Kennedy, prenant sa revanche, à titre pour ainsi dire préventif, sur les manigances de la CIA contre sa propre existence.

Fidel Castro lui-même avait apporté à cette conjecture un peu de vraisemblance. Début septembre 1963, invité à une réception de l'ambassade brésilienne à La Havane, il avait pris à part le correspondant de l'Associated Press, un Canadien nommé Daniel Harker, pour lui déclarer notamment : « Si les dirigeants politiques américains persistent dans leurs projets terroristes d'assassinat de politiciens cubains, c'est leur propre sécurité qui s'en trouvera menacée. »

Quelques jours après l'attentat du 22 novembre 1963, les limiers du FBI découvrirent que Lee Harvey Oswald entretenait effectivement un lien très étroit avec le régime cubain. Après son retour d'Union soviétique, en juin 1962, il avait noué d'intenses contacts avec Cuba, avec le parti communiste américain et avec le groupe de solidarité Fair Play for Cuba Committee. Il était considéré par les autorités américaines comme un communiste certes un peu original, mais indiscutablement fanatique. En juillet 1963, Oswald avait publié dans des journaux de la Nouvelle-Orléans des diatribes exaltant la révolution cubaine ; de même, il avait participé à un débat radiophonique avec des représentants d'exilés cubains.

Les enquêteurs furent tout d'abord alarmés par le fait qu'Oswald s'était rendu en autocar au Mexique, le 26 septembre 1963, pour y demander à l'ambassade cubaine un visa à destination de l'île. Fallait-il donc considérer que derrière l'assassin de John F. Kennedy se trouvait impliqué Fidel Castro? Il fut également établi qu'à Mexico, Oswald avait rencontré plusieurs fois des collaborateurs de l'ambassade, en dehors des locaux de celle-ci.

James Hosty, officier du FBI à la retraite, se vit confier en 1963 la surveillance d'Oswald à cause de ses « contacts avec les communistes ». Il n'a cessé d'être hanté par le personnage de Lee Harvey Oswald, un cas qu'il connaît comme sa poche. Il est intimement persuadé qu'Oswald a agi seul, pensant que son acte sauverait la vie à Fidel Castro et de plus permettrait au communisme de persister dans toute l'Amérique. D'autres personnes qui se sont sérieusement penchées sur cette affaire, notamment Seymour Hersch et l'écrivain Norman Mailer, sont parvenues, à partir de recherches sur les archives soviétiques, à la même conclusion: il n'y a pas eu de conspiration politique contre Kennedy, Lee Harvey Oswald était un fanatique qui a agi de son propre chef. Hosty est ravi à l'idée d'un entretien concernant le « démenti sur l'honneur » de la gauche politique. Celle-ci monta à l'époque, contre la « théorie du complot » quant à l'assassinat du président, un système de défense d'ailleurs plutôt médiocre; elle se refusa même entièrement à prendre les faits en considération.

En 1963, Hosty subit un sérieux revers professionnel: il n'avait trouvé aucun indice de la préparation du meurtre, alors même qu'il avait inspecté le domicile d'Oswald à deux reprises, le 1ᵉʳ et le 5 novembre de la même année. Il avait cependant questionné l'épouse d'Oswald, une Russe prénommée Marina. Oswald lui avait sans délai écrit à son bureau : « Si vous souhaitez converser avec moi, faites-le directement. Mais sachez bien que vous n'avez aucunement à importuner mon épouse. » Hosty choisit de ne pas répondre à cette demande de contact et classa ce billet dans le dossier Oswald, sans même une annotation. Cette négligence lui valut, après l'assassinat de Kennedy, d'être taxé par certains de pure imbécillité.

Cet agent du FBI persista dans sa vision des choses, même après les premiers interrogatoires d'Oswald et après les affirmations policières quant à l'existence de complices. Toutes les traces étaient effacées et Hosty restait convaincu qu'il n'y avait jamais eu le moindre complot des services secrets derrière Lee Harvey Oswald. La CIA n'avait aucunement intérêt à assassiner un président qui ne lui refusait rien pour le développement du « projet Cuba ».

Kennedy avait certes destitué Allen Dulles après l'échec de l'invasion de la baie des Cochons, et placé à la direction de l'organisation des hommes de confiance. Il n'en avait pas moins notablement accru le budget de la CIA, ce qui excluait tout mobile plausible.

Hosty, pour confirmer sa position, me pose à son tour la question : « Si l'affaire était si simple, pourquoi y a-t-il eu et y a-t-il encore autant de micmacs autour de cet assassinat, et pourquoi certains documents importants doivent-ils rester inaccessibles jusqu'en 2029 ? » Sa propre réponse à cette question est claire : « Parce qu'on a voulu effacer tout indice relatif à Cuba. Le président Lyndon B. Johnson a fait mettre un terme aux recherches effectuées au Mexique, alors qu'il y avait encore là des traces toutes chaudes des contacts d'Oswald avec les Cubains. Il fallait que les agents de la CIA reviennent bredouilles. On a même frôlé une grève des enquêteurs. »

Le tapage ne s'apaisa qu'après l'intervention du propre frère du président assassiné, Robert Kennedy, entérinant la consigne donnée par le président Johnson. Il aurait appris par un confident du président pourquoi l'on avait interrompu les recherches : Johnson était persuadé que c'était bel et bien Fidel Castro qui, par esprit de revanche, avait fait abattre John Fitzgerald Kennedy.

Or, si cette conjecture avait été confirmée, il se serait trouvé lui-même contraint, vu l'hystérie anticubaine régnante, de réagir par une nouvelle invasion de l'île. Ne voulant à aucun prix risquer de déclencher une Troisième Guerre mondiale, il fit interrompre les recherches et subtiliser des preuves.

James Hosty, personnellement, ne pense pas que Castro ait fait assassiner Kennedy mais seulement qu'informé du projet, il a laissé les mains libres à Oswald. Les indices étaient accablants pour l'entourage de Fidel Castro. En septembre 1963, Oswald s'était rendu à plusieurs reprises à l'ambassade cubaine à Mexico pour obtenir un visa. Lors d'un entretien avec un diplomate cubain qui avait l'oreille de la CIA, il aurait annoncé qu'il allait abattre « ce fils de chien ».

Le lendemain même de cette proclamation, il avait rencontré, toujours à Mexico, le chef du KGB, Wladimirovitsch Kostikov, rattaché à la 13e section de cet organisme, consacrée au terrorisme, au sabotage et au crime politique. En dehors de l'ambassade cubaine, Lee Harvey Oswald avait également pris contact avec Luisa Calderón, agent de la Sûreté nationale cubaine. Celle-ci fut mutée hors du Mexique immédiatement après l'attentat de Dallas. C'est seulement la veille de cet attentat que La Havane accorda à Oswald le visa qu'il demandait. Luisa Calderón fut le seul citoyen cubain à qui Fidel Castro interdit toute déclaration devant la délégation de la commission sénatoriale américaine sur les « crimes politiques » venue à Cuba interroger d'éventuels témoins.

Hosty me fournit encore un argument en faveur de sa thèse : le 27 novembre 1963, lors d'un de ses interminables discours radiophoniques, Fidel Castro indiqua, comme en passant, que Lee Harvey Oswald avait fait, lors de ses visites à l'ambassade cubaine de Mexico, « une déclaration provocatrice ». Après quoi le FBI envoya Jack Childs demander des informations plus précises à La Havane.

Jack Childs était à l'époque directeur financier du parti communiste américain ; c'était aussi l'un des plus précieux informateurs du FBI, classé « source solo ». Juif d'origine russe, il avait très intimement rompu avec le communisme soviétique quand, en 1953, Staline avait ordonné de « nettoyer » le parti communiste de ses éléments juifs. Lors de son entretien avec Fidel Castro, Jack Childs lui demanda de préciser ce qu'il avait voulu signifier en parlant de « déclaration provocatrice ». Le commandant lui répondit sans ambages, quoique à titre confidentiel, qu'Oswald avait fait part, à l'ambassade cubaine au Mexique, de son intention d'abattre Kennedy.

De cette série d'indices, James Hosty conclut, en toute simplicité : « A mon avis, les Cubains n'avaient aucunement chargé Oswald d'assassiner John F. Kennedy, cependant ils en savaient suffisamment pour l'en empêcher. » La question demeure de savoir si Oswald se rendit au Mexique de sa propre initiative, pour se ménager la possibilité d'un refuge à Cuba, ou s'il s'agissait d'une mise en scène de la CIA pour mettre en cause les autorités de ce pays.

A Cuba, je tentai de retrouver le général Fabián Escalante, qui avait pendant des années dirigé les services secrets de la Défense et infiltré des agents dans les milieux d'exilés cubains. Il a, dans l'île, la réputation d'en savoir plus que quiconque sur l'assassinat de

Kennedy. Grâce à un intermédiaire, je pris contact avec Escalante, qui ne se trouve plus en service actif mais est demeuré, après sa retraite, directeur de l'« Institut d'études sur la sécurité nationale », sorte d'organisme de recherche historique. Il est un point sur lequel je sais peu de chose : Escalante est tombé en discrédit parce qu'il se serait montré, au ministère de l'Intérieur, partisan d'une ligne « plus modérée » envers les dissidents. Selon lui, une trop sévère répression de l'opposition aurait provoqué à l'étranger de graves dommages pour l'image du régime castriste. A titre d'« épreuve », ce général de division s'était vu offrir un emploi de gardien de parking. Il est ensuite devenu représentant à La Havane d'une marque automobile française. Il se dit tout prêt à m'accorder une interview ; malheureusement le ministre de l'Intérieur lui interdit cet entretien. Aussi ne puis-je que me rabattre sur les rares déclarations publiques de Fabián Escalante concernant l'affaire Kennedy.

C'est en 1994 qu'il donna, pour la première fois, une interview à la journaliste brésilienne Claudia Furiati. Bénéficiant de la confiance de la Sûreté cubaine, celle-ci était la première journaliste étrangère autorisée à accéder aux dessous du meurtre de Kennedy.

En 1995, lors d'une conférence de spécialistes de cette affaire, tant américains que cubains, organisée aux Bahamas par Wayne Smith, chargé d'affaires américain à Cuba, le général Escalante précisa sa position, déclarant notamment : « Nous pensons que Kennedy était opposé à une nouvelle agression de son pays contre le nôtre. Aussi son assassinat visait-il deux objectifs à la fois : se débarrasser de ce président et en rendre Cuba responsable. »

Dès l'été 1963, le président Kennedy avait souhaité briser la glace entre les deux nations et rechercher un dialogue politique, selon ce que son confident William

Attwood, chargé des relations avec Cuba, indiqua alors à Escalante, qui le fit savoir à son tour. Cependant, par un étrange double jeu, les États-Unis poursuivaient leurs actes de sabotage et de terrorisme sur le territoire cubain... Escalante est convaincu que les informations sur certaines conversations diplomatiques « privées » entre Carlos Lechuga, représentant de Cuba à l'ONU, et ce même William Attwood, qui filtrèrent dans la presse américaine, inquiétèrent gravement les adversaires de Kennedy. Ceux-ci n'auraient trouvé d'autre moyen que le meurtre pour paralyser ce processus.

Dans l'interview accordée à Claudia Furiati, le général Escalante confirma que Lee Harvey Oswald s'était rendu à l'ambassade cubaine de Mexico en septembre 1963 en vue d'obtenir un visa pour Cuba. Cependant, ce manège n'aurait été qu'une manœuvre de la CIA pour accréditer la « légende communiste » dudit Oswald et faire porter les soupçons sur Cuba. Il fallait que cet homme demeure quelques jours sur l'île, afin qu'après l'attentat chacun le tienne pour un agent cubain. Selon les propres termes d'Escalante : « Oswald était un agent secret américain, de la CIA, du FBI, des services secrets militaires, peut-être même des trois. Et nous l'ignorions. Il a été manipulé. On l'a persuadé qu'il devait intervenir lui-même, avant qu'un groupe d'agents cubains ne s'en charge. »

Selon des sources cubaines, l'attentat de Dallas aurait impliqué quinze agents cubains infiltrés dans la CIA. Escalante lui-même savait qu'Oswald n'avait pas été le seul tireur sur place. A sa connaissance, il y avait aussi là, outre des tireurs des milieux mafieux, les exilés cubains Eladio del Valle, alias Yito, et Herminio Díaz García, tireurs bien entraînés. Tous deux s'étaient déjà fait une réputation de gangsters sous la dictature de Batista. Il y aurait eu à Dallas deux groupes de tireurs :

« L'un dirigé par Jack Ruby, l'autre par Frank Sturgis. Le meurtre a été décidé au printemps 1963 à la Nouvelle-Orléans, par Rosselli, représentant de la mafia ; le général Cabell, ancien directeur adjoint de la CIA ; Frank Sturgis, Gerry Hemming et d'autres officiers de la section de la CIA consacrée aux opérations spéciales. »

Les assertions du général Escalante concordaient jusque dans le détail avec les observations et déclarations de Marita Lorenz, par exemple quant à la présence à Dallas de Frank Sturgis et de Jack Ruby. Mais Escalante refuse de livrer ses sources, il se porte seul responsable de ses assertions.

Joe Lorenz m'apporte également sa contribution. Quoique fonctionnaire du Parti républicain, il a toujours estimé que Marita ne faisait que dire la vérité et que toutes les autres « informations » avaient pour seul objectif de dédouaner la CIA. La dernière fois qu'il se rendit à New York, en 1978, pour voir sa mère et Marita, il n'en crut pas ses yeux. Sa mère était à l'article de la mort, victime d'une tumeur au cerveau, et Marita avait consacré toute une année à s'occuper d'elle. « Marita est comme ça », observe Joe. « Aucun de ses frères et sœur, y compris moi, n'aurait su faire preuve d'un tel dévouement. Marita a un cœur exceptionnel. »

Marita avait rangé des centaines de photos dans des boîtes à chaussures. « En les feuilletant, soudain je découvris ma sœur en uniforme, aux côtés de quatre hommes. Après un examen attentif je sursautai : sans aucun doute, l'un d'eux était Oswald, le même Lee Harvey Oswald qui avait abattu le président Kennedy ! Épouvanté, je lui dis : "Marita, ce n'est pas Dieu possible ! Castro, Pérez Jiménez, la CIA, et en plus le meurtre de Kennedy ?! Je n'arrive pas à y croire !" Elle répondit simplement : "Effectivement, Ozzie a fait partie du même groupe que moi, dans les Everglades." Ma mère confirma le fait. Elle seule en avait eu connaissance dès le début, car entre elle et sa fille régnait une confiance absolue. Ma mère ajouta : "Nous n'avions pas l'intention de t'en parler, ç'aurait été trop dangereux pour toi." » Le sénateur Howard Baker – chef de la commission sénatoriale de supervision des services secrets à la fin des années soixante-dix – put lui aussi voir ce cliché où figuraient ensemble Oswald et Marita ; par mesure de précaution, il l'emporta chez lui, où malheureusement, quelques jours plus tard, le carton contenant ce document fut dérobé. Il apprit la chose, oralement, par son officier Howard Liebengood. Selon Joe, la classe politique américaine continuait de craindre un grave ébranlement des institutions fédérales si jamais venait au jour la vérité sur l'assassinat de Kennedy. Hochant la tête, il ajoute : "La seule chose que je n'arrive pas à comprendre, c'est que Marita soit toujours en vie." »

Mónica Mercedes Pérez Jiménez se souvient aussi de cette fameuse photo. Elle avait seize ans quand Marita les envoya, elle et Mark, passer quelques semaines en Allemagne chez leur oncle, à Bad Münster am Stein. Et de m'expliquer : « Elle avait peur pour nous, elle craignait que nous ne soyions plus en sécurité aux États-Unis. » Juste avant le départ, sa mère fourra dans son ours en peluche une photo, qu'elle devait ressortir dès son arrivée en Allemagne. « Quand je fus arrivée à Bad Münster am Stein, elle me demanda de déchirer cette photo en morceaux pour les éparpiller un peu partout. » Mónica s'interrompt, elle est en pleurs et préfère garder le silence. Elle reste furieuse contre cette mère qui l'a toujours, dans son enfance, « utilisée » à d'obscures fins politiques.

Gaeton Fonzi, à l'époque membre principal de la commission d'enquête, est pour sa part convaincu que derrière Oswald se tenait tout un complot organisé contre John F. Kennedy. Je le rencontre chez lui, dans

*une maison donnant directement sur Bizcayne Bay, au
nord de Miami. Entre 1976 et 1978, il rencontra et
interrogea Marita à plusieurs reprises. Et il considère son
récit concernant ce voyage à Dallas en compagnie d'Oswald et de Sturgis comme purement imaginaire. En
revanche, il estime dans l'ensemble très crédible et révé-
lateur ce qu'elle lui raconta des activités de la CIA dans
les Everglades. Lorsqu'il avait rencontré cette Allemande
en 1975, elle travaillait aux douanes de Miami, affectée
au dépistage de trafics d'armes. Mais elle était aussi,
avec Sturgis, chargée de fournir des informations au
DEA[1] et au FBI sur les stupéfiants. Gaeton Fonzi me dit
d'elle : « Elle était incapable de garder un secret. J'ai
même eu l'impression qu'il ne lui déplaisait pas du tout
de se trouver dans des situations difficiles. »*

*Mais cette histoire de voyage en auto, de Miami à
Dallas, lui avait ôté la confiance de Gaeton Fonzi. Il
trouvait trop d'extravagances dans sa description des
faits. A l'époque où elle disait avoir rencontré Oswald,
celui-ci était encore en Union soviétique. Et parmi les
hommes avec lesquels elle serait allée à Dallas en voiture,
certains avaient fourni un alibi tout à fait vérifiable,
notamment Gerry Hemming, à qui du reste, lors des premières auditions, elle n'avait fait aucune allusion. Selon
Fonzi, c'était peu à peu qu'elle avait « complété » cette histoire des deux véhicules. D'un ton ironique, Gaeton
ajoute que ce voyage dut être tout à fait « inconfortable »,
Hemming à lui seul pesant dans les 135 kilos.*

*La déposition de Marita avait provoqué un choc
parmi les membres de la commission et paralysé quelque
temps les recherches. Selon Fonzi, c'était le but qu'elle
recherchait. Toujours selon lui, une nouvelle tentative
pour faire enfin la lumière sur ce crime politique aurait*

---

1. *Drug Enforcement Agency*, unité chargée de la lutte anti-drogue.

été déjouée par une autre manigance de Marita, dans le plus pur style Far West. Fonzi considère que le plan de Marita relevait d'une manœuvre des services secrets pour empêcher la commission de trouver la bonne piste. « C'est très simple. Cette femme, agent de la CIA, commence par avouer des faits qui semblent parfaitement plausibles. Mais il apparaît quelque temps après que, de toute évidence, son histoire ne tient pas la route. Du coup, il devient impossible de mettre en cause la CIA. Ainsi, les services secrets ont mis en place un labyrinthe, un jeu de miroirs innombrables, où personne ne peut plus se retrouver. »

J'objecte à Fonzi que Sturgis a toujours tenté d'obtenir que Marita ne dévoile rien. Cela n'ébranle pas mon interlocuteur : « C'était simplement le sommet de cet opéra bouffe. Un jour, Marita m'a déclaré, très agitée, au téléphone : "Frank Sturgis traîne en permanence dans le coin, j'ai affreusement peur de lui, c'est sur son compte que je mets toute cette affaire." Ayant entendu ce message, j'accourus immédiatement chez elle avec deux autres membres de la commission – Al González et Eddie López. A l'instant même où je frappai à la porte, celle-ci vola en éclats et Eddie reçut en plein crâne un coup de crosse de pistolet. Je criai : "Marita !" Elle détourna alors son regard, fixé sur Eddie et, me reconnaissant, expliqua : "Ah, c'était donc vous ! J'ai d'abord cru que c'était un Cubain envoyé par Frank." »

Gaeton Fonzi estime que tout cela était une mise en scène, peut-être concoctée par Sturgis lui-même. « C'était un champion de la désinformation. Jamais il ne l'a menacée de l'empêcher de parler, cela je l'ai vérifié. Allez donc aux Archives nationales et écoutez le coup de fil au cours duquel il aurait prétendument menacé Marita Lorenz. »

Je me rends dans le Maryland, aux Archives nationales où l'on me procure sans difficulté une reproduction

195

de ce coup de téléphone : ce document, déclassifié, est librement accessible. De fait, Sturgis n'y profère aucune menace à l'égard de Marita ; c'est elle qui lui demande de venir la voir de toute urgence, parce qu'elle aurait besoin de son aide « en tant qu'ami ». Frank Sturgis fait des façons : il souffre d'une inflammation de la cheville, il n'a pas assez d'argent pour prendre un billet d'avion... C'est seulement quand Marita lui promet de payer ce billet qu'il accepte de monter à New York. Là, cependant, l'attendent deux bien désagréables surprises : une Mónica armée d'un revolver et deux policiers qui l'arrêtent. En 1978, quand je fais état à Marita de ce document, elle garde tout son sang-froid. Elle-même n'aurait jamais prétendu que Frank voulait la tuer, c'est Mónica qui aurait « mal compris les choses » et réagi de manière exorbitante. Tout cet épisode était ridicule.

Au risque de la mettre hors d'elle, je demande clairement à Marita si elle n'avait pas déposé devant la commission d'enquête dans un sens qui contentât Fidel, c'est-à-dire, d'une façon ou d'une autre, pour le compte de la Sûreté cubaine. Elle rejette ma question d'un simple signe et me dit : « On ne peut pas agir ainsi. Je témoignais sous serment. Même pour Fidel, je n'aurais pu faire une chose pareille. »

Quelques mois plus tard, nous avons un nouvel entretien, tout à fait chaleureux. Toujours hantée par la frustration qu'elle avait gardée du grand amour de sa vie, elle ne m'en glisse pas moins : « Fidel est vraiment trop ingrat à mon égard. Je lui ai tout de même fait deux énormes cadeaux : en 1959 je lui ai épargné la mort, en 1978 j'ai déposé en sa faveur ! »

C'est au même moment à peu près que je retrouve, un peu par hasard, un témoin de choix qui me confirme la véracité de la version de Marita : Gerry Patrick Hemming, à l'époque chef de mercenaires. Il conteste être allé en voiture à Dallas au mois de novembre 1963 en compagnie de Marita, d'Oswald et de Sturgis. « Je n'étais pas dans cette voiture », m'affirme-t-il de façon péremptoire. Cependant, après un silence bref mais intense, il ajoute : « Sur ce voyage à Dallas, Marita dit la vérité. » Je crois d'abord l'avoir mal compris, mais Hemming poursuit : « Effectivement, il y a eu cette nuit-là un voyage en voiture à Dallas. » Bien entendu, je lui demande comment il le sait. Il me répond : « Sturgis et Díaz Lanz m'ont enjoint de monter avec eux. » Gerry Hemming jugeait Sturgis capable d'avoir monté toute l'affaire. Il avait beaucoup réfléchi à l'assassinat de Kennedy et abouti à quelques conclusions. Mais il n'avait trouvé aucun véritable élément probant, ni dans un sens ni dans l'autre. Il restait des éléments contradictoires. Mais Oswald avait tout à fait la formation, l'intelligence et l'énergie nécessaires pour accomplir cet attentat à titre individuel ; il avait pu agir de son propre chef, sans représenter aucun service. Je demande à Hemming : « Pourquoi alors parlez-vous d'agent ? » Il s'esclaffe : « C'était un agent de la CIA, cela ne faisait aucun doute et nous le savions tous depuis le début. » Selon lui, Oswald n'aurait jamais été un communiste convaincu. Toute cette biographie de gauchiste qu'on lui avait prêtée était une fable montée par les services secrets. En réalité, après sa formation dans un service secret de la marine américaine, sur une base de l'armée de l'air située au Japon, il aurait été envoyé en Union soviétique par un ordre émanant d'une très haute hiérarchie. Gerry Hemming considère comme une preuve supplémentaire du rôle joué par Oswald dans la guerre secrète contre Cuba le fait qu'en juin 1963, précisément, un service secret agissant en Floride (dont il préfère me taire le nom) lui ait proposé d'envoyer Lee Harvey Oswald à Cuba pour y travailler comme espion. Il aurait pu entrer dans l'île, comme nombre d'autres *agents, au titre de simple touriste. Compte tenu de sa bio-graphie politique, il n'aurait eu aucun problème pour cela. Après quoi, il aurait passé en revue les possibles objectifs des commandos de sabotage.*

Je demande à Gerry Hemming quelle théorie sur l'assassinat de JFK il trouve la plus plausible. Il me répond : « Les frères Castro ne craignent pas de mesures de représailles, mais ils n'auront pas non plus la bêtise de tout mettre sur le compte du seul Lee Harvey Oswald. Je les connais assez bien pour savoir que leur vision de l'énigme est beaucoup plus simple. C'est essentiellement l'industrie nucléaire qui a tiré parti de la mort de Kennedy. Si le président était parvenu avec l'Union soviétique à l'accord annoncé sur la non-agression nucléaire, l'industrie aurait perdu des milliards de dollars. » Il n'a aucune preuve de ce qu'il avance là, mais n'en est pas moins persuadé que c'est la version la plus plausible. Beaucoup de gens avaient intérêt à la mort de Kennedy, il ne manquait pas d'ennemis : outre l'industrie militaire, il y avait les exilés cubains, la mafia, l'extrême droite... « Ici, en Floride, il existait plusieurs groupes paramilitaires qui avaient aussi bien le désir que les moyens d'exécuter ce crime. » Lui-même se serait plusieurs fois vu proposer, moyennant finances, d'abattre John F. Kennedy.

De mes nombreux entretiens tant avec des témoins qu'avec des historiens spécialistes de l'affaire, il ne me reste que peu de certitudes et beaucoup de zones d'obscu-rité. De ce puzzle ressort pourtant une image relative-ment cohérente. Souvent, des déclarations en apparence contradictoires, liées aux différentes versions concernant ce meurtre, se révèlent tout à fait compatibles quand on les rapporte au contexte politique des années soixante. Lee Harvey Oswald était de toute évidence un agent des services secrets américains. C'est bien en tant que tel qu'on l'avait envoyé en Union soviétique, dès 1959. Cela n'exclut aucunement que le KGB, qui suivait avec attention le cas de ce demandeur d'asile, ne lui ait aussi proposé de mener des actions secrètes. Oswald constituait une pièce importante dans la partie d'échecs qui se jouait entre les États-Unis et Cuba. A son retour de Moscou, il se vit confier le contrôle en sous-main tant du mouvement de solidarité avec Cuba que du parti communiste américain. Son rôle dans l'assassinat de Kennedy consistait à faire porter les soupçons sur Fidel Castro. Ses acolytes ne pouvaient évidemment imaginer que le président Lyndon B. Johnson renoncerait à jouer cet atout. Les commanditaires d'Oswald n'étaient probablement autres que ceux qui s'en prenaient à Cuba depuis les années soixante : des exilés cubains, des chefs mercenaires et des mafieux qui avaient participé au programme mis en place en Floride par des agents de la CIA.

Oswald avait-il effectivement mené son action tout seul, ou bien d'autres tireurs se trouvaient-ils également à Dallas ce jour-là ? Aucun indice, aucun témoignage ne permet de s'en faire une idée sûre. La seule certitude que l'on ait, c'est que la balle partit de son fusil.

Il apparaît certain que Fidel Castro n'a aucunement commandité l'assassinat de John F. Kennedy. En revanche, aussi bien lui-même que ses services savaient qu'Oswald préparait cet attentat. Et le commandant avait laissé faire, alors qu'il aurait fort bien pu mettre en garde Kennedy. Car Castro savait par son agent double Rolando Cubela que les frères Kennedy, malgré tous leurs discours pacifistes, avaient toujours bel et bien en tête de l'éliminer avant l'élection présidentielle de 1964.

Pis encore : Khrouchtchev lui-même aurait notifié à Kennedy qu'en cas de mort subite de Fidel Castro, les Américains n'avaient aucune réaction à craindre de la part des Soviétiques. Lors du conflit des missiles, en octobre 1962, Castro avait conseillé au dirigeant soviétique de lancer le premier une attaque nucléaire contre une grande ville américaine. Khrouchtchev en avait conclu que ce dernier n'était qu'un dangereux irresponsable. L'automne 1963 fut pour Fidel Castro une période difficile.

L'opération AMLASH[1], qui représentait dans doute la plus sérieuse menace contre la personne de Fidel Castro, fut lancée le jour même de l'assassinat de Kennedy. Dans un appartement secret situé à Paris, le dirigeant de la commission gouvernementale américaine sur la question cubaine (la Cuban Task Force), nommément Desmond Fitzgerald, remit à l'agent Rolando Cubela un stylo à bille saturé d'un poison violent. Cubela était l'ancien chef du « Directoire des révolutionnaires » et le commandant castriste qui avait le premier, dès le mois de janvier 1963, atteint La Havane et occupé le palais présidentiel : ce « héros de la révolution » pouvait rencontrer Fidel Castro sur simple demande. Le moindre contact physique de Fidel avec la bille du stylo aurait entraîné son décès immédiat. Mais Oswald allait intervenir avant cela.

Quand l'on apprit par Washington l'assassinat du président Kennedy, Fitzgerald ne put que rengainer son stylo à bille. A l'instigation du nouveau président, Lyndon B. Johnson, le projet AMLASH fut abandonné. Johnson, quand il n'était encore que vice-président, s'était démarqué de la politique de vendetta menée par la famille Kennedy.

La poursuite

« Vous ne pouvez pas me protéger, dites-vous ? Le problème n'est pourtant pas de savoir si Sturgis et ses

---

1. Nom de code donné par la CIA à l'opération visant à assassiner Castro.

hommes ont eu un rapport avec l'assassinat de Kennedy,
mais le fait que j'en ai trop dit, que j'ai rompu le pacte
du silence, que j'ai donné des noms. Je ne veux pas
mourir tout de suite. »
  Marita Lorenz, dernière déclaration à Gaeton Fonzi
  en 1976.

Mes craintes n'étaient pas sans fondements. On voulait à tout prix ma mort et celle de mes enfants. Dans les années qui suivirent mes déclarations à la commission d'enquête de Washington, je fus victime de plusieurs tentatives. La police joua chaque fois dûment son rôle, mais ne parvint jamais à mettre la main sur les agresseurs.

En octobre 1979, comme Fidel Castro devait venir à New York tenir un discours devant les Nations unies, plusieurs agents des services secrets me conseillèrent de quitter le pays à ce moment-là. J'habitais à l'époque au 86, Maywood Road, à Darien, dans le Connecticut. Quelques jours avant l'arrivée de Fidel, on tira sur ma maison et quelques-uns de mes animaux furent abattus. Avec Mónica et Mark, nous nous enfuîmes au Canada. Je me rendis à l'ambassade cubaine de Montréal pour y demander asile. Quand nous quittâmes l'ambassade, deux jours plus tard, une voiture nous suivit, avec deux hommes à bord. Ils essayèrent de me faire déraper sur la route enneigée et me tirèrent dessus. Je leur tirai dessus moi aussi.

En arrivant à l'appartement que j'avais conservé à New York, dans la 88ᵉ Rue, nous trouvâmes les lieux dévastés. Quelqu'un y avait lancé une bombe incendiaire. Il n'y avait plus d'électricité. Mes enfants étaient hagards. Six semaines durant, nous restâmes terrés dans ce logement glacial et sans lumière. Mark, alors âgé de neuf ans, confectionna un petit four à charbon pour que nous puissions nous chauffer un peu et faire la cuisine.

Je n'avais plus d'argent et dus descendre vendre dans la rue les quelques meubles qui nous restaient. Au bout de six semaines, nous fûmes évacués de force.

Des enfants en danger

Les deux enfants gardent en mémoire cette période de tourment, où leur mère était pourchassée. Mark Lorenz me raconte que lors du retour du Canada à New York, il dormait sur la banquette arrière de la voiture, entre les quelques affaires qu'ils avaient emportées, quand un coup de feu avait fait voler en éclats un miroir près de lui. Les tueurs étaient donc également stipendiés pour en finir avec lui et sa sœur, Mónica. Celle-ci se rappelle deux autres agressions. « J'étais assise dans la salle de séjour, en train de faire mes devoirs, et je portais la veste de maman, quand la fenêtre fut pulvérisée par plusieurs coups de feu. C'était certainement ma mère qui était visée, pas moi qui n'avais jamais causé le moindre mal à personne. Je me souviens parfaitement aussi avoir vu maman gravement empoisonnée et avoir dû la ranimer. C'était le moment de me servir des leçons de secourisme que j'avais suivies à l'école. Je m'assis sur elle, lui fis du bouche à bouche et un massage cardiaque, tout en lui donnant de grandes claques et en criant : "Ne meurs pas s'il te plaît, je n'ai plus que toi au monde !" » Mónica se souvient également avoir été enlevée et être restée plusieurs jours prisonnière chez une femme. Marita ne réussit à la récupérer que moyennant caution. Selon Mónica, les investigations de la police n'ont jamais débouché sur rien. Elle ne sait pas du tout qui pouvait se cacher derrière ces agressions. En outre, elle ignore totalement ce qu'a réellement fait sa mère, elle sait seulement que celle-ci compte beaucoup d'ennemis, y compris dans les milieux de la mafia.

Un document du FBI, relatif à une audition de Marita Lorenz en date du 1er février 1982, fournit également des indications sur les dangers encourus par celle-ci :

« Une semaine après la visite de Levy chez Marita Lorenz, à Darien, la fille de cette dernière a été blessée par balle. En octobre 1979, de nouveau, on a tiré sur cette maison. Ces éléments ont été portés à notre connaissance par la police de Darien. En janvier 1980, Mónica, la fille de Marita Lorenz, a été enlevée. »

Duel avec la mafia

Après la disparition de Mónica, Pino Fagiano – une ancienne connaissance qui travaillait de manière occasionnelle pour la mafia – me fit savoir qu'elle serait relâchée contre 20 000 dollars. J'ignorais absolument pour qui Pino travaillait alors ; peut-être était-il lui-même l'auteur de cet enlèvement ? Désespérée, j'allai trouver le procureur, qui finit par me remettre cette somme incroyable sous forme de billets soigneusement numérotés. Je déposai cet argent, comme convenu, dans une cabine téléphonique.

Quelques jours plus tard, Pino surgit à l'improviste dans mon appartement pour réclamer un complément. Faute de quoi, je subirais le même sort qu'avait connu Rosselli. Nous étions armés l'un et l'autre et, après une violente discussion, nous dégainâmes. Je fus la plus rapide et il s'écroula, gravement blessé. Ma balle l'avait atteint à la poitrine. Je l'aidai à ramper hors de l'appartement, puis appuyai sur le bouton de l'ascenseur pour le renvoyer au rez-de-chaussée. J'appris par la suite qu'il avait réussi à regagner sa voiture, stationnée dans le garage souterrain, et à la conduire jusqu'à Brooklyn, chez un médecin de la mafia. Je restai un long moment complètement défaite, craignant de le voir revenir chez moi pour me régler mon compte. Encore tout apeurée, j'appelai Frank X. au commissariat et lui expliquai que Pino avait été gravement blessé mais était sans doute encore en vie. Frank me répondit d'un ton agacé : « Tu aurais mieux fait de le balancer par la fenêtre, ça nous aurait fait un problème de moins ! »

A la suite de cet incident, mes enfants et moi fûmes à nouveau couverts par un dispositif de protection de témoins : la police considérait que les milieux du crime organisé m'avaient dans le collimateur. Pour ma part, j'avais des doutes, il n'était pas exclu que Pino ait été envoyé par la CIA.

Trois mois après notre affrontement, Pino avait retrouvé la forme et je le vis réapparaître, alors que j'allais chercher les enfants à l'école. Il me réclama de l'argent à titre de « réparation ». Il n'avait toujours pas compris pourquoi je lui avais tiré dessus ! Au fond, il m'admirait un peu pour ce geste. J'appris, par d'autres membres de la mafia, qu'il disait à chacun : « Cette Lorenz serait capable de devenir le "parrain" de New York, si elle continue dans cette direction. » A partir de ce moment-là, il se montra plutôt convenable à mon égard, allant jusqu'à me proposer d'être mon garde du corps. Il me croyait de la même espèce que lui, ce en quoi il se trompait entièrement. Pino Fanagio était un être dévoré par la haine et dénué de tout scrupule, tandis que pour ma part j'ai toujours conservé certaines valeurs morales. Je n'ai jamais tiré de gaieté de cœur sur quiconque, j'ai toujours veillé à protéger la vie d'autrui. Je n'ai rien d'une sadique.

Après mon altercation avec Pino, je fus conviée à une rencontre avec des représentants des cinq grandes familles mafieuses de New York. On me fixa rendez-vous dans un restaurant italien, à une heure précise. Lorsque j'arrivai, on m'attendait en effet : cinq messieurs aux cheveux gris, chacun vêtu pour plusieurs milliers de dollars, autour d'une table impeccablement dressée. « Big Pauly » était du nombre. Il n'y avait dans le restaurant d'autres clients que nous six. Je me sentais plutôt mal à l'aise, mais les cinq hommes se levèrent pour m'accueillir : « C'est un grand plaisir pour nous de faire enfin votre connaissance, madame Lorenzo. » Derrière moi se trouvait un serveur qui me donnait la chair de poule. Je ne supporte pas d'avoir quelqu'un derrière moi, pas plus que de m'asseoir dos à une fenêtre : j'ai toujours peur d'une balle. Je leur répondis : « Ne tournons pas autour du pot. Si vous souhaitez que je m'excuse pour l'incident avec Pino, je suis toute prête à le faire. Mais la prochaine fois, je le tue pour de bon. » Mes propos les firent beaucoup rire : « Mais non, mais non, cette affaire n'a aucune importance, nous souhaitions seulement faire enfin votre connaissance », dirent-ils.

L'un d'eux m'expliqua alors que jamais ils n'oublieraient qu'en 1959 j'avais réussi à tirer deux de leurs hommes des geôles cubaines et que, comme de toute évidence je me trouvais maintenant dans une situation pour le moins difficile, ils étaient disposés à me donner un coup de main. Ils ne souhaitaient pas me remettre directement de l'argent en liquide ; l'un d'entre eux m'accompagnerait le lendemain soir dans un casino. Il me suffit de jeter les dés et, avant même que j'aie pu voir ce que j'avais tiré, il annonça : « C'est madame qui l'emporte. » 10 000 dollars d'un seul coup... Dans les semaines qui suivirent, je reçus aussi de gros colis : une télévision, de la nourriture et du café. Après cette rencontre avec les « parrains » new-yorkais, il m'apparut évident que ce ne pouvait être la mafia qui me traquait.

Howard Baker

1979 et 1980, les deux années qui suivirent ma déclaration devant la commission d'enquête, furent les plus terribles de toute mon existence. J'étais traquée par une mystérieuse puissance qui voulait me pousser au désespoir et au suicide. Situation tout à fait possible aux États-Unis : c'est bien pourquoi je déteste ce pays. Le pire était que mes enfants vivaient eux aussi menacés. Je me sentais si vulnérable que je songeais à les renvoyer en Allemagne pour assurer leur sécurité.

Comme on avait plusieurs fois forcé la porte de mon appartement, j'empaquetai tous les souvenirs de quelque valeur pour les montrer à Washington devant les sénateurs. J'avais pris rendez-vous avec le sénateur Howard Baker. Celui-ci était non seulement le patron de la commission sénatoriale de supervision des services secrets américains, mais encore l'un des plus éminents membres du Parti républicain. J'avais également pris la photo sur laquelle on me voyait en compagnie de Lee Harvey Oswald.

Howard Baker m'écouta avec la plus grande patience et se montra soucieux des menaces pesant sur notre famille. Il rédigea sur-le-champ un compte rendu de notre conversation, pour l'adresser au directeur de la CIA. Après cette visite au sénateur, toutes les menaces directes prirent fin et je pus mener une existence tranquille.

8

FORT CHAFFEE

En mars 1980, il avait manifestement été décidé qu'il fallait me laisser une dernière chance. Je fus convoquée à l'immeuble de la One Police Plaza, où un agent de la CIA me tendit un P.38 et me proposa un marché fort simple : « Ou bien vous passez dans la pièce d'à côté et vous vous tirez une balle dans la tête, ou bien vous acceptez de vous occuper des exilés que votre ami de merde fait envoyer sur nos côtes. » Sans même lire le document, j'acceptai de signer un contrat m'engageant dans les services secrets de l'armée américaine. On m'envoya alors en Pennsylvanie, très exactement à Fort Indiantown Gap.

C'est sur cet immense terrain que l'on retenait les exilés cubains, les *marielitos*, ainsi désignés parce que la plupart quittaient Cuba à partir du port de Mariel. Fidel avait laissé partir d'un seul coup 125 000 Cubains insatisfaits, et en avait profité pour vider les prisons. Au début, je servis d'agent d'accueil et de traductrice, déterminant, parmi les réfugiés, qui savait parler allemand, portugais, russe, tchèque ou autre. Cela nous permettait de faire un tri et d'en trouver parmi eux qui pourraient se révéler d'intéressants informateurs. Je leur fournissais des cigarettes, je bavardais avec eux dans les baraquements. Ils me racontaient leurs souvenirs et j'avais vite fait d'en déduire lesquels avaient sans doute occupé d'importantes positions politiques ou économiques. Ma tâche essentielle était en fait de déterminer si parmi ces exilés recueillis à Fort Indiantown Gap pouvaient se trouver des espions, voire des terroristes, capables de menacer notre sécurité. Les services secrets de l'armée m'avaient aussi demandé de leur poser des questions bien précises sur la situation militaire tant à Cuba qu'à l'étranger, notamment en Angola. Les *marielitos* savaient évidemment que je faisais partie de l'armée américaine, mais ils étaient très touchés de constater que je connaissais bien Cuba, parlais leur langue et aimais leur pays. A chacun de ces Cubains était consacré un dossier, avec un code de couleur, qui permettait de repérer ses tendances personnelles, à tous niveaux. Les célibataires de l'un et l'autre sexe, les enfants sans parents, les criminels et autres durs à cuire étaient regroupés dans des baraquements séparés. Mais ces baraquements ne tardèrent pas à se voir saturés, d'où de vives tensions. Chaque jour arrivaient de Miami des cars débordant d'immigrés. On fit amener à Fort Indiantown Gap des troupes aéroportées et des membres de la division Delta des services d'immigration. Ces militaires firent clairement connaître leurs intentions : « Nous sommes venus ici pour vous aider. A vous, en contrepartie, d'observer la discipline, sans quoi on vous rentre dans le lard. »

Tous ceux qui avaient fait de la prison à Cuba portaient un numéro tatoué sur la lèvre inférieure, Castro ayant érigé la « contestation » en délit par excellence. Beaucoup étaient encore surveillés plusieurs années après leur mise en liberté ; ils restaient des prisonniers. « Le droit et l'ordre », il n'en est peut-être pas meilleur défenseur que Fidel. Jamais il ne pardonna à la jeunesse la moindre insubordination vis-à-vis des aînés. Le premier ou la première à faire preuve de paresse, d'indiscipline ou du moindre manquement, devient immédiatement à ses yeux un « contre-révolutionnaire ». Aussi la plupart de ceux qui nous arrivaient à Fort Indiantown Gap étaient-ils étiquetés « politiques ». On n'y trouvait que bien peu de forcenés, de voleurs ou autres coquins. Je me souviens par exemple d'un jeune homme de dix-neuf ans, issu des classes moyennes, qui, pour avoir barbouillé sur un mur « Jamais avec Castro », s'était vu jeter en prison et tatouer. Marqué de la sorte, il voyait son avenir compromis non seulement à Cuba, mais aussi, hélas, aux États-Unis.

C'est au cours de ce travail que je fis la connaissance de Juan, grand et blond, lointain parent de Raúl Castro. Un homme cultivé et très fin, parlant couramment trois langues étrangères, mais un peu naïf. Il fut pris en charge par un riche et apparemment très sérieux homme d'affaires de l'Arkansas, que nous avions autorisé à l'emmener chez lui et qui prenait en charge ses frais. Pour les Cubains du camp, cette sorte de sponsoring était l'une des seules façons de pouvoir s'en sortir. Il s'avéra cependant que ce respectable bourgeois n'était autre qu'un négociant en pornographie, spécialisé dans le sadomasochisme le plus cruel. Juan, devenu l'un de ses esclaves sexuels, revint au camp battu et violé. Il nous fallut le mener à l'hôpital. Si certains parrainages furent le fait de membres de la Croix-Rouge et autres organismes de bienfaisance, malheureusement, faute d'expérience, il nous arriva plus d'une fois de tomber sur de tels sponsors, aux projets bien particuliers : se procurer une main-d'œuvre bon marché, baby-sitters à plein temps, objets sexuels à discrétion... Nous découvrîmes aussi que nombre de femmes américaines en mal d'amour avaient entendu dire que l'on pouvait facilement trouver chez nous des centaines de milliers d'hommes, gros ou minces, blancs, bruns ou noirs... Autant d'hommes que l'on voulait ! Elles rôdaient autour des portails et entamaient des conversations avec les exilés. Ou se procuraient des noms précis, à l'aide de contacts familiaux. Et parvenaient bien souvent à nouer des contacts intimes avec les hommes de leur choix, en leur procurant un domicile extérieur au camp, parfois chez elles. Mais beaucoup de Cubains ne demeuraient avec leur récente compagne que le temps de se procurer un permis de travail, puis disparaissaient alors pour toujours. Certaines furent même violées, battues, voire assassinées.

Parmi les Cubains exilés, ceux qui avaient combattu en Angola et ramené d'Afrique des troubles étranges donnèrent l'occasion aux médecins américains de développer leurs recherches sur les maladies tropicales. Certains malades, après une analyse de sang, furent mis en quarantaine. Comme il était difficile de prévenir la diffusion de ces maladies tropicales méconnues, on nous faisait prendre toutes les précautions possibles, notamment par des injections mensuelles de pénicilline.

Le camp, la terreur

Après huit mois seulement, le nombre de nos *marielitos* à Fort Indiantown Gap frisait les 125 000 et le gouvernement décida de déplacer tous les exilés à la base militaire de Fort Chaffee, en Arkansas. Bill Clinton, alors gouverneur de cet État, accepta. Cette courageuse décision ne manqua pas de susciter la controverse, car personne ne savait comment on pourrait s'occuper d'une telle population. Fort Chaffee était plus vaste que Fort Indiantown Gap. En outre, il faisait plus chaud en Arkansas. La surveillance était assurée par la police du camp, la police fédérale et plusieurs unités de la

82e division aéroportée. Mais la plupart de ces soldats ne connaissaient rien aux problèmes des Cubains dont ils avaient la garde. J'étais devenue pour ceux-ci une sorte de marraine. Ils me faisaient confiance, assurés par la rumeur que je connaissais leur culture et leur vision des choses. La plupart de ces exilés, qui s'étaient longtemps montrés loyaux envers la révolution cubaine, avaient choisi de gagner un pays considéré comme le symbole même de la liberté. Mais on les faisait végéter dans un camp surpeuplé, derrière des fils de fer barbelés, sans la moindre occupation, distraction ou formation possible. Des gens tout à fait normaux se trouvaient enfermés avec des psychopathes et des brutes. Il arrivait de plus en plus souvent qu'ils tentent de s'échapper, ne supportant plus cette atmosphère d'abattement et de désespoir. Au sein du camp se formèrent des clans. Des Cubains issus de telle ou telle région se regroupaient pour se battre, par simple ennui, contre des Cubains d'autres régions. Bientôt surgirent aussi des querelles entre membres de telle ou telle religion. En cas de conflit, c'était moi que la direction envoyait prévenir de plus graves échauffourées.

Beaucoup des exilés étaient de religion yoruba et pratiquaient la santería, mélange de croyances catholiques et de religions africaines primitives, comportant des sacrifices d'animaux. La plupart des prisonniers avaient installé derrière leurs lits de camp de petits autels avec les figures de diverses divinités telles que Yemayá, Obatalá ou Eleguá, à côté de vierges à l'Enfant et d'images dévotes allant d'une photo de Fidel Castro à un tube vide de dentifrice de la Croix-Rouge. On trouvait aussi sur ces autels des fleurs et des mets destinés aux divinités, principalement des biscuits et des oranges.

Les baraquements étaient organisés de façon militaire. Chacun comportait vingt-quatre personnes ou un

211

peu plus. Au-delà des exigences de propreté, les gardiens s'en prenaient aux autels privés. Ils organisaient des razzias ou saccageaient ceux-ci à coups de bâton, au grand chagrin des *marielitos*. L'ambiance se dégrada. Une fois par semaine, on fouillait les baraquements en quête d'armes, de drogue ou de denrées de contrebande. Ces irruptions avaient généralement lieu la nuit, pendant que les Cubains dormaient. Je devais alors accompagner les soldats dans les baraquements et traduire leurs ordres en espagnol. Pour préserver leur intimité, les Cubains avaient suspendu des draps entre leurs lits de camp. Ces draps étaient brutalement arrachés par les matraques en caoutchouc de soldats fébriles et déchaînés. Si les Cubains ne sautaient pas assez vite de leur matelas, les soldats les forçaient à s'aligner ou à se mettre en cercle, en les frappant avec leurs matraques plombées. Je leur criais en espagnol de ne pas résister, dans leur propre intérêt. Le peu d'objets personnels qu'ils possédaient étaient en général détruits lors de ces descentes.

Un jour, je fus appelée par des gardiens ne parlant pas un mot d'espagnol : ils ne savaient que faire d'un Cubain psychologiquement très atteint, en plein état de dépression. Il avait déjà plusieurs fois cherché à s'échapper et menaçait maintenant de se suicider. Je lui demandai ce qu'il souhaitait exactement. Il me répondit en pleurant qu'il avait commis une erreur. Jamais il n'avait voulu quitter Cuba, il était un fidèle partisan de Fidel, qui était pour lui comme un père. De plus, sa femme et ses enfants attendaient son retour sur l'île. Pour le rasséréner, je ne pus faire autrement que de mentir et de lui promettre de tout faire pour l'aider à rentrer à Cuba. J'ajoutai qu'en attendant, le mieux qu'il pouvait faire était de se soumettre à un traitement psychiatrique. Je rédigeai un rapport indiquant que cet

homme n'avait commis aucun délit ni à Cuba ni aux
États-Unis – consciente que ce rapport ne servirait à
rien d'autre qu'à le nourrir d'un peu d'espoir, en attendant que sa vision des choses ait évolué. Je le revis
quelque temps plus tard dans la section psychiatrique
de la clinique du camp. On lui avait passé une camisole
de force et lié les pieds et les mains, on lui administrait
chaque jour plusieurs piqûres de thorazine pour le
calmer. J'appris à cette occasion que les mêmes procédés étaient appliqués à des centaines de Cubains qui
voulaient rentrer dans leur pays et que l'on soupçonnait
de chercher à s'enfuir.

Une vie sauvée

Un jour, je fus appelée à un baraquement d'hommes
célibataires. On y avait trouvé, par terre dans une salle
de bains, un jeune homme grièvement blessé après
avoir été violé. On me fit savoir par radio qu'il avait
reçu des coups de machette aux mains et souffrait
d'une grave blessure au ventre. Il se vidait de son sang
et risquait de succomber. En dépit du règlement, je me
rendis toute seule dans ce baraquement. Quelques
autres jeunes gens s'étaient emparés de l'agresseur, un
homme plus âgé, et la première chose que je fis fut de
lui passer les menottes. Raúl, la victime, baignait toujours dans son sang. On lisait dans ses yeux la peur de
mourir. Je m'efforçai de le rassurer et lui demandai de
ne pas me regarder faire pendant que je lui remettais
dans le ventre les organes arrachés. L'autre homme lui
avait également coupé à la machette les premières pha-
langes de trois doigts. Je les rassemblai dans un sac en
plastique, en espérant qu'il serait possible de les
recoudre. J'avais pris avec moi ma boîte de première
urgence et pus recouvrir la plaie ouverte de son ventre

d'un pansement stérile. Le jeune homme avait déjà perdu beaucoup de sang et hurlait : « Aide-moi ! » Je l'assurai que les renforts n'allaient pas tarder, mais personne n'arriva : aucun véhicule d'assistance ne répondit à notre appel de détresse. J'appris le lendemain que les membres du personnel sanitaire avaient choisi ce soir-là de se rendre à une soirée. Il ne me restait d'autre solution que de transporter dans notre propre véhicule ce jeune blessé, avec l'aide de mon collègue (un traducteur mexicain). Dans la voiture, je lui pris la tête sur mes genoux. Il sanglotait : « Marita, aide-moi, je t'en prie... » Je demandai au chauffeur de nous conduire à Fort Smith. La clinique y était mieux équipée que la nôtre, qui ne disposait pas même d'un bloc opératoire. C'est au remarquable médecin de Fort Smith que le jeune homme dut finalement de survivre. Pour ma part, je subis de sérieuses remontrances, car il était expressément stipulé que personne n'avait le droit de sortir sans autorisation de Fort Chaffee dans un véhicule du camp. Je fus interrogée par deux officiers du FBI, qui me reprochèrent d'avoir mis sens dessus dessous l'ensemble du dispositif. Je n'étais, me dirent-ils, qu'« un trou du cul de communiste, imbécile, impressionnable et libérale ». Cette affaire me valut une procédure disciplinaire. La vie ou la mort de ce jeune homme, cela n'avait apparemment d'intérêt pour personne. Je déclarai simplement aux deux agents du FBI, comme pour leur donner raison : « Très bien, messieurs, la prochaine fois je le laisserai tout simplement crever ! »

L'agresseur fut accusé de tentative de meurtre et dans un premier temps mis aux arrêts dans le camp même, avant d'être envoyé en prison à Atlanta, comme tous les auteurs d'actes de violence. Raúl, une fois remis sur pied, m'adressa une lettre reconnaissante que je conserve encore aujourd'hui. Il y faisait observer qu'on n'aurait jamais dû le classer comme « mâle célibataire », mais le mettre dans la section des « enfants non accompagnés ». Simple petite maladresse bureaucratique, dirons-nous...

Les enfants de Fidel

Dès le lendemain de mon entretien avec le FBI, je fus affectée à une nouvelle unité, promue maréchal adjoint et chargée des baraquements pour enfants. La situation la plus triste, dans le camp, était celle des enfants et adolescents. Nous en comptions environ six cents, pour la plupart orphelins ou abandonnés par leurs parents. Souvent, quand je passais le soir dans leurs baraquements, j'entendais l'un ou l'autre supplier dans son sommeil : « Fidel, s'il te plaît, aide-moi ! » Il n'y avait, pour tous ces gosses, qu'un seul et unique instituteur, chargé de leur enseigner les rudiments de l'*American way of life* et des notions d'anglais. Tous regrettaient leur existence à Cuba et redoutaient l'avenir qui les attendait aux États-Unis. Personne ne s'occupait d'eux, personne ne prenait le temps de les écouter. Il n'est pas étonnant qu'une telle situation ait entraîné des accès de colère, de désobéissance et de révolte. Il fallait bien qu'ils trouvent des moyens de s'affirmer. Mais, contrairement à la grande majorité des enfants, ils se faisaient immédiatement rosser, ou calmer à la thorazine.

Un jour, un policier fédéral viola une jeune fille de quinze ans. Quand je m'aperçus qu'elle était enceinte, je la fis envoyer dans un orphelinat d'Atlanta. Elle nomma sa fille « Marita ». Quant au violeur, j'exigeai de lui des explications et le fis traduire en justice. Certains de ces six cents enfants trouvaient des familles d'accueil, mais la plupart se voyaient éparpiller dans les orphelinats de nombreux États. J'avais le cœur brisé de voir toutes ces jeunes âmes perdues. Il s'agissait de « déportés », au même sens qu'en Allemagne après la guerre.

Je pensais souvent à Fidel, imaginant combien il pouvait se sentir mortifié et furieux de voir des centaines de ses concitoyens faire l'assaut des ambassades étrangères à La Havane, pour fuir leur pays. J'aurais tant voulu le rencontrer et lui dire : « Fidel, cela t'a-t-il tellement peiné qu'il t'ait fallu te défaire de tous ceux qui n'étaient pas en extase devant toi ? Cela méritait-il de faire sortir les condamnés de leurs prisons et, pis encore, d'expulser des orphelins cubains ? Tes propres enfants ! Pourquoi ? J'exige une explication. N'est-ce pas précisément en pensant aux enfants de Cuba que tu as mené ta révolution ? » Je lui aurais expliqué que j'étais en charge de trois baraquements d'enfants cubains et que mes journées ne me laissaient pas le temps nécessaire pour veiller sur chacun d'eux et les protéger des coups de surveillants cruels. Lorsque je faisais allusion, devant la direction du camp, aux mauvais traitements que subissaient ces enfants, je me faisais traiter de pleurnicheuse, de lèche-cul, de *nigger lover*.

Mon propre fils, Mark, avait alors dix ans et vivait en ville, loin du camp. Nous déjeunions ensemble vers les cinq heures du matin, à la cantine du personnel. C'était les rares minutes où nous avions l'occasion de nous voir. Souvent, quand des troubles se produisaient au sein du camp, il me fallait rester en service vingt-quatre heures d'affilée. Le camp était mieux organisé que celui de Fort Indiantown Gap. Il y avait des terrains de sport, une sorte de quincaillerie, des sessions musicales et même un cinéma. La grande majorité des exilés s'efforçaient de s'adapter à leur situation. Beaucoup de Cubains s'ouvrirent un petit jardin, en nous demandant de leur procurer des graines. Pour passer le temps, ils fabriquaient à la main de petits objets ou encore distillaient de l'eau-de-vie. Ils écrivaient à leur famille restée à Cuba, et même à Fidel Castro en personne.

Bien entendu, il y eut plus d'un cas de grossesse et de naissance. Les nouveau-nés étaient automatiquement, selon la loi, citoyens nord-américains. Lors d'une de ces naissances, je dus faire office de sage-femme, le personnel médical n'ayant pu accourir à temps. Quatre fillettes nées dans le camp furent prénommées Marita et deux garçonnets, Fidel. On vit, accrochées à certains baraquements, des banderoles proclamant « Fidel est mon père » ou « J'aurais dû t'écouter ». La direction du camp, qui ne voulait pas que cela soit connu de la presse, m'envoya discuter avec les Cubains. Je dus donc expliquer à ceux-ci que leurs fanions étaient parfaits du point de vue esthétique et qu'ils auraient raison d'en confectionner d'autres, mais qu'au lieu de s'épuiser à les suspendre au-dehors, exposés au vent et à la pluie, ils devraient plutôt les afficher à l'intérieur des baraquements.

Le Ku Klux Klan

Autour de Fort Chaffee, les gens n'avaient d'abord émis aucune objection à la présence de ces nouveaux voisins. Mais cette tolérance ne dura pas longtemps, à cause de certains crimes isolés commis par des Cubains que nous avions relâchés. C'est ainsi que deux d'entre eux, lors d'un vol à l'étalage, abattirent un shérif. Dès que l'on sut que ce crime était dû à des Cubains, le point de vue de la population changea bien sûr considérablement. Peu à peu, les Cubains devinrent l'objet d'une hostilité générale. Dans les petites communautés blanches de Fort Chaffee couraient les rumeurs les plus folles, qui débouchèrent bientôt sur une hystérie collective. Telle une maladie infectieuse, la crainte se propageait de voir ces 125 000 étrangers mettre à bas les clôtures du camp et déferler sur les braves citoyens de la ville. Les gens se sentaient délaissés par les autorités. Même une visite éclair du gouverneur Bill Clinton ne parvint pas à rassurer la population de Fort Chaffee, en majorité blanche.

C'était une occasion idéale pour le Ku Klux Klan. L'organisation raciste clandestine développa rapidement son influence dans la ville et alentour. La nuit, des croix brûlaient un peu partout, visibles même depuis le camp. Les membres du Ku Klux Klan publièrent à Metarie, en Louisiane, un tract qu'ils diffusèrent largement parmi la population de Fort Chaffee, avec pour titre : « Pour le premier Cubain abattu cette année, récompense aux contribuables. » Pour l'exécution d'un Cubain, le Klan offrait cinq points. Si c'était un détraqué sexuel, le double. Les espions valaient vingt-cinq points. Les récompenses proposées étaient des sachets de cacahuètes et des paquets de six cannettes de bière. Cette macabre pitrerie prit corps lorsqu'un exilé cubain parvint à escalader le grillage et à prendre la fuite. Les gens du lieu l'attrapèrent et l'exécutèrent. Je tiens le fait directement de membres du Ku Klux Klan. Un policier local me fit savoir un jour que ses amis du Klan projetaient de lancer des cocktails Molotov contre les baraquements. Je pris soin de leur faire parvenir de fausses informations par le biais d'un infiltré. De fait, ils ne tardèrent pas à lancer leurs bombes incendiaires sur des baraquements vides, de sorte qu'il n'y eut pas un seul blessé.

Assassins en uniforme

Parmi les gardiens et les soldats, les sympathisants du Ku Klux Klan ne manquaient pas. Je fus personnellement témoin d'un crime, jusqu'ici gardé secret, commis par des soldats de l'armée américaine. Un soir, j'étais en tournée de contrôle, en Jeep, avec deux officiers de service. Nous surveillions le camp du haut d'une butte, derrière le baraquement réservé aux délinquants. Les clôtures étaient très hautes et surmontées de barbelés tranchants comme des rasoirs : tout à fait l'allure d'un camp de concentration, avec des miradors où se tenaient des soldats de la 82e division aéroportée, avec des armes et des lorgnettes à infrarouge. Pendant que mes compagnons buvaient de la bière, je contemplais la pleine lune. Une étrange flamme orangée éclaira le ciel, et l'on sentit une odeur de bois brûlée. Un des deux officiers cria soudain : « Nom de Dieu, tu as vu ça ? » Et je compris à mon tour : c'était une immense croix en feu. Les deux officiers, le teint soudain vitreux malgré leur couleur noire, se dirent à l'oreille des choses que moi-même, Blanche de New York, compris à peine. C'était le Ku Klux Klan qui passait à l'action, la haine qui jaillissait... J'étais peinée de voir mes collègues si effrayés. C'étaient l'un et l'autre des types très bien. Gardant notre calme, nous décidâmes de filer si cette croix enflammée approchait encore. Une déflagration secoua la tranquillité de cette nuit bleutée. Ma première pensée fut que quelqu'un s'était peut-être suicidé.

Nous longeâmes la clôture en Jeep dans la direction d'où était parti le coup. Il n'y avait rien de particulier à l'extérieur mais, à l'intérieur du camp, à quelque dix mètres des barbelés, un jeune homme gisait face contre terre. Nous fonçâmes par le portail et courûmes jusqu'au garçon. Nous entendîmes des voix et du rock en haut du mirador, et demandâmes aux soldats, à grands cris, ce qui s'était passé. Ils hurlèrent en réponse que le jeune homme avait tenté de s'enfuir. Ils lui avaient tiré dessus et ne s'en étaient pas occupés davantage. Ils étaient de toute évidence drogués. Nous appelâmes une ambulance. J'allai examiner le jeune homme et constatai que son T-shirt était gorgé de sang. On lui avait tiré dans le dos. La voiture de la Croix-Rouge mit un temps fou à arriver. En attendant, je pressai les blessures du jeune homme avec une compresse. Il respirait mal, son visage était couvert de boue. Je pleurais tout en le nettoyant. Plus rien ne pouvait le sauver, il était en train d'expirer dans mes bras. Il cessa soudain de bouger. Mes deux collègues, hors d'eux, hurlèrent aux soldats du mirador : « Vous l'avez flingué alors qu'il ne portait pas d'arme ! »

Un linceul pour Fidel

Souvent, la nuit, je ne pouvais m'empêcher de songer à Fidel. Je m'imaginais rentrer à Cuba pour lui décrire l'enfer que nous vivions ici. Ces journées terribles avec les *marielitos*, les désordres dans le camp, les coups de couteau, les exilés homosexuels. C'est de ceux-ci que je me sentais le plus proche, car c'était eux que l'on traitait le plus mal et qui souffraient le plus. Je leur procurais du rouge à lèvres et des revues de mode dans lesquelles ils pouvaient découper des photos. Je faisais tout pour qu'ils soient un peu heureux. Chaque fois que mes collègues faisaient allusion à cela en termes venimeux, je me contentais de répondre : « Ça ne me coûte rien d'être gentille avec eux, alors fermez-la ! » Nous apprîmes un soir par radio qu'il y avait eu un suicide. Nous nous mîmes en quête du défunt et finîmes par le trouver pendu à l'un des trois arbres qui bordaient le « boulevard » du camp. Il était pieds nus, enveloppé dans un drap de lit. Aucun des deux hommes qui m'accompagnaient n'eut le courage de grimper dans l'arbre pour le décrocher. Ils voulaient sauter le plus haut possible pour l'attraper par les pieds. N'en pouvant plus, je grimpai sur le toit de la Jeep puis, appuyée sur les épaules des hommes, parvins à atteindre l'arbre. L'obscurité était totale et c'est avec ma torche dans la bouche que je parvins jusqu'à la branche où il avait accroché sa corde. Là, je pus voir son visage : jeune, solennel. Je coupai la corde et son corps tomba. Mes collègues roulèrent le cadavre dans un linceul. Le drap de lit où le jeune suicidé s'était enveloppé était couvert de dessins et de phrases diverses où il saluait sa mère, Fidel et le gouvernement américain… Je le gardai, dans le but de le montrer un jour à Fidel.

Pendant l'été 1981, après un an et demi passé auprès des exilés cubains, je retournai à New York. J'avais l'impression de sortir d'une guerre. Fort Chaffee avait été mon Vietnam à moi. En septembre, je décidai (non sans difficulté) de prendre un avion pour Cuba. Fidel en était parfaitement informé, car je lui avais fait parvenir une lettre par le biais de la mission cubaine aux Nations unies, Lexington Avenue, à New York. Je n'entrai évidemment pas sans crainte dans ce bâtiment : je savais bien que chaque visiteur était photographié par des appareils du FBI installés sur les immeubles voisins.

Andrés est vivant !

Mónica n'obtint pas de visa pour me suivre à Cuba et en voulut beaucoup à Fidel. Le fait est qu'elle n'était pas sa fille mais celle de Pérez Jiménez. A l'aéroport de La Havane, je fus orientée vers la sortie des diplomates et installée dans une pièce. On me fouilla consciencieusement, ainsi que mes bagages, puis je dus attendre, surveillée par deux jeunes soldats munis de pistolets automatiques. Je demandai si j'étais en état d'arrestation, mais ne reçus aucune réponse. Pour la Sûreté cubaine, c'était certes une étrange situation : vingt et un ans plus tard, la meurtrière en puissance venait rendre visite à l'homme qu'elle aurait dû tuer... Allaient-ils me jeter dans la prison de Cabaña? Arriva enfin un officier supérieur en uniforme qui me dit : « Bienvenue à Cuba ! » Je compris alors que Fidel allait me recevoir. Cet officier me conduisit en Volga à La Havane, par la route que je connaissais bien. En sentant l'odeur du jasmin, je me sentis chez moi. Il faisait encore noir et les rares réverbères ne dispensaient qu'une pâle lumière jaunâtre. Certaines parties de la ville, pour économiser l'énergie, étaient même entièrement privées d'éclairage. A Miramar, par un portail que gardaient des soldats, nous entrâmes dans une vieille propriété typiquement cubaine au jardin merveilleux. C'était manifestement une résidence pour invités du régime cubain. Un vieux monsieur avec une jambe de bois me mena jusqu'à ma chambre par l'escalier de marbre. Là, je dus encore attendre. La présence constante d'un soldat m'empêcha même de me changer.

J'entendis soudain au dehors la voix de Fidel, et cette démarche que je connaissais bien. Il entra dans la pièce, sourit en m'apercevant et me dit bonsoir, allant jusqu'à me serrer légèrement dans ses bras, selon une sorte de protocole diplomatique. Le fait est que, depuis notre dernière rencontre, il était devenu prosoviétique. Je lui demandai de renvoyer ses hommes pour pouvoir lui parler seule à seul. Après cela, je pus lui raconter ce que j'avais vécu à Fort Chaffee et je lui remis le drap de lit du suicidé, avec ses inscriptions. Fidel ne m'en dit que quelques mots, mais je vis qu'il était touché. Il se montra à la fois serein et pensif pendant que je lui racontais les misères personnelles subies par des exilés cubains désormais décédés, qu'ils eussent ou non été de bons révolutionnaires. Il m'écoutait avec attention. Je le sentais partagé entre la colère, la pitié et la honte. Pour ma part, je n'avais rien à perdre et je voulais absolument le mettre mal à l'aise. Il me dit brusquement qu'il ne voulait plus entendre parler de tout cela, que deux officiers m'attendaient en bas pour recueillir mon témoignage sur Fort Chaffee.

Je trouvai alors le courage de l'interroger sur notre enfant. J'avais besoin que Fidel me dise enfin la vérité. Ce fils était-il mort ou vivant? Il me répondit : « Ton fils est vivant, mais tu ne le verras pas. Après tout ce que tu as fait, c'est à moi et à Cuba qu'il appartient. » Je fondis en larmes et le suppliai : « Fidel, cela fait vingt ans que j'attends de savoir la vérité! Laisse-moi le voir, une seule fois! Après, je repartirai et jamais je ne réclamerai le moindre droit sur lui. » J'avais déjà renoncé par écrit, à l'ambassade cubaine de Montréal, à tout droit sur mon fils Andrés. Je menaçai Fidel de rester dans l'île aussi longtemps que je ne pourrais rencontrer mon fils : « Fidel, tu ne peux pas être si cruel, tu es un homme bon, un homme d'honneur! », lui dis-je d'un ton cajolant. Cet argument parut l'attendrir et il me dit : « Je vais te faire rencontrer un garçon. » J'aurais préféré l'entendre dire « ton garçon » ou « notre garçon », et à nouveau l'incertitude m'envahit. Fidel sortit de la pièce et alla frapper à une porte toute proche. De deux choses l'une : ou bien tout cela avait été manigancé, ou bien ce jeune homme vivait dans cette résidence.

Quand celui-ci entra dans la pièce, il m'apparut immédiatement comme une doublure de Fidel lui-même, en plus jeune bien entendu. La vingtaine, des cheveux noirs et bouclés, la peau blanche, le même nez que son père. Il avait en revanche mes yeux : larges, ronds et sombres. Sa bouche aussi ressemblait à la mienne, mais avec des fossettes qu'il tenait manifestement de Fidel. Tout comme Mark, dont on aurait cru qu'il était le frère, il était grand et bien bâti. Fidel dit : « Voilà le garçon, c'est Andrés. » Je lui pris la main et

223

demandai : « C'est toi, mon garçon ? » « *Yeah !* », me répondit-il en anglais, le rire aux lèvres. Nous nous prîmes dans les bras, je lui passai les doigts dans les cheveux. « Fidel, il est magnifique, c'est notre enfant ? » Sans expression, Fidel me répondit : « *Sí !* » Andrés me demanda s'il avait des frères et sœurs. Je lui montrai des photos de Mark et de Mónica. La seconde parut l'impressionner beaucoup. J'ouvris alors une malle pleine de cadeaux. Je donnai à Andrés une paire de chaussures de sport et à Fidel un Polaroid avec quinze pellicules. Le commandant, enthousiasmé, entreprit immédiatement de se servir de l'appareil, comme si plus rien d'autre ne l'intéressait. J'offris également au jeune homme une ceinture, deux jeans, un lecteur de cassettes, un bloc-notes... Et à Fidel un Rubix Cube et des blindés miniatures, qui lui plurent autant qu'en 1959. Ils passèrent tous les deux vingt bonnes minutes absorbés par ces cadeaux. Ce fut un de mes moments les plus heureux depuis bien longtemps. Je ne cessai d'observer le jeune homme, de plus en plus convaincue que c'était bien mon fils. Pourtant, je ne pouvais pas non plus écarter l'idée d'une mise en scène de Fidel... Ç'aurait certes été là le plus sale coup à me faire. Aujourd'hui encore je garde des doutes et je donnerais tout pour que soit effectué un test ADN. Des radiographies que le Dr Anvar Hanania avait fait faire en 1960 à la clinique Roosevelt, il ressort qu'en 1959 il n'y avait pas eu avortement, mais naissance prématurée due à une ingestion de substances toxiques. Le fœtus avait alors sept mois, selon mes calculs, et avait de bonnes chances de naître vivant. Cependant, jusqu'à ce que je puisse enfin le voir, je n'en avais jamais vraiment été persuadée. Ces deux heures passées avec Fidel et lui refermaient un grand vide dans mon cœur.

Fidel se souciant manifestement beaucoup plus de son Polaroid que de ma personne, j'en profitai pour bavarder avec Andrés. Il était inscrit en médecine et avait pour projet de se rendre au Nicaragua sandiniste, comme pédiatre à la clinique Karl-Marx, pour contribuer à la mise en place d'un réseau sanitaire digne de ce nom. En 1989, huit ans après cette rencontre avec Andrés, je me rendis avec Mónica au Nicaragua, à l'occasion d'une conférence sur l'environnement. Chaque jour, je me rendis à la clinique Karl-Marx dans l'espoir d'y retrouver mon fils. Il n'y travaillait plus mais plusieurs autres médecins se souvenaient de lui : il s'était occupé d'emmener des enfants grièvement blessés se faire opérer à Cuba. C'est à la description que je fis de lui qu'ils l'identifièrent, car, s'étant présenté sous le nom d'Andrés Vázquez, ils ignoraient qu'il s'agissait du fils de Fidel. Je ne l'ai plus jamais revu.

Au bout de deux heures, Andrés se leva en expliquant qu'il avait un cours à la faculté. Nous nous prîmes dans les bras pour nous dire adieu, et il sentit bien que j'étais toute tendre, tout sourire, que cela ne pouvait être feint. Plus je l'avais observé, plus je m'étais reconnue en lui. Quand Andrés fut sorti, Fidel me regarda d'un air interrogatif et se montra soulagé de m'entendre dire : « Il est merveilleux et je suis sûre qu'il fera beaucoup pour l'avancement de l'humanité. » Nous bavardâmes encore un peu, évoquant le passé : notre excursion dans les marais de Zapata, Varadero, l'île de la Jeunesse... J'aurais voulu savoir pourquoi il avait fait emprisonner Jesús Yáñez Pelletier mais n'osai pas poser la question et conclus simplement : « J'aime Cuba. » Il me proposa de venir vivre à La Havane avec mes enfants et d'y trouver un mari. « Et qui donc ? », répondis-je, stupéfaite. « Toi, peut-être ? » Nous étions debout à la fenêtre ouverte, le parfum du jasmin m'envahissait. « Tu te souviens, Fidel ? » Sans rien répondre, il referma la fenêtre. Je poursuivis : « Te rends-tu vraiment compte de tout ce que j'ai fait pour l'amour de toi ? — N'oublie pas qu'une fois tu es venue à Cuba pour m'assassiner. — Mais je ne l'ai pas fait, Fidel. » Nous nous assîmes côte à côte et je posai ma main sur son épaule. Comme vingt-deux ans plus tôt. Je le connaissais encore très bien. Il lui fallait maintenant repartir, comme Andrés tout à l'heure ; sans doute ne le reverrais-je plus jamais.

Avant de prendre congé, Fidel me confia une nouvelle tâche politique. Il souhaitait entrer en contact avec le gouvernement Reagan tout récemment élu et me demanda si l'on pouvait trouver à Washington un interlocuteur. En effet Al Haig, le nouveau secrétaire d'État, avait coupé toutes les voies de discussion, afin de laisser Castro entièrement isolé. Je répondis que l'homme de la situation était Howard Baker. Celui-ci était devenu le porte-parole de la majorité républicaine et, de ce fait, l'homme le plus puissant du pays derrière Reagan. Comme mon frère Joe travaillait maintenant directement au côté de Baker en tant que responsable de la propagande du parti, j'avais une chance de le joindre. Fidel me remit à l'intention de celui-ci un message que j'allai déposer au Capitole. Mon frère, me découvrant assise sur un sofa dans le bureau d'Howard Baker, en resta cloué sur place. Après notre conversation, Baker conseilla au responsable des affaires latino-américaines au ministère des Affaires étrangères, Thomas Enders, d'accepter l'offre de discussion émise par Castro. Enders se rendit alors effectivement à Cuba, dans le plus grand secret. Mais cette rencontre ne mena à rien car, Thomas Enders excepté, au sein du gouvernement Reagan personne ne voulait accepter le moindre dialogue avec « le Staline des Caraïbes ».

Après le départ de Fidel, j'allai manger à la cuisine avec le couple de personnes âgées qui avait élevé Andrés. Pleine de reconnaissance pour eux, je les remerciai de tout ce qu'ils avaient fait pour mon fils. Le vieil homme à la jambe de bois avait été l'instituteur de Fidel à l'école de Belén. Les plats étaient rustiques, sans rapport avec la cuisine cubaine que j'avais découverte en 1959. Le riz sentait le kérosène, la viande ressemblait à de la pâtée pour animaux, les haricots n'avaient aucun goût. Pas une pointe d'ail, pas de salade, pas de mangue, pas de *mamey*, pas de glace au café... A la même table était assis un grand Noir à la mine sérieuse, d'origine nord-américaine. Il s'avéra n'être autre que le pilote d'urgence de Fidel Castro. Si jamais les États-Unis attaquaient Cuba, son rôle était de sauver la vie du commandant. Il demeurait d'ailleurs chez celui-ci. Le lendemain, j'eus envie de revoir La Havane. L'officier de service me répondit : « C'est malheureusement impossible. Le chef nous l'a interdit, parce qu'il ne veut pas que les Russes aient connaissance de votre visite. »

Une escorte de cinq officiers me ramena à l'aéroport. Après le décollage, je contemplai avec nostalgie les immenses étendues de palmiers et les élevages qui tenaient tant à cœur à Fidel.

Celui-ci m'avait parlé avec fierté de sa vache préférée, Ubre Blanca, qui ne donnait pas moins de quatre-vingt-dix litres de lait par jour, plus que n'importe quelle vache au monde. Quand elle fut devenue vieille, on la gratifia d'une place d'honneur au zoo de La Havane. Et à sa mort, sur ordre de Fidel, on construisit un monument en son souvenir.

9

KAPOUT

En 1982, je rentrai en Floride, ce paradis vénéneux. C'est un pays brûlant, humide, et disposé de manière artificielle pour que les hommes et les crocodiles puissent se partager les marécages des Everglades. Il y a de chaudes brises tropicales, des ouragans et des palmiers qu'il faut replanter après chaque tempête. Beaucoup de retraités vont en Floride pour y finir leurs jours. Ils jouent au golf et à la canasta, restent assis au soleil, parlent de leurs maladies et attendent la mort. Le business de la mort y bat son plein. Miami est aussi devenu le lieu de rendez-vous de tous les « branchés ». Une métropole pleine d'autoroutes qui se faufilent entre les gratte-ciel ultramodernes des banques, construits avec l'argent de la drogue. Aujourd'hui encore, la Floride est une patrie pour les pirates et les bandits en tout genre, ou pour les descendants des gangsters qui sont restés accrochés là dans les années quarante, alors qu'ils fuyaient les rigueurs de la loi dans le nord. De nombreux réfugiés d'Amérique latine s'y sont également installés. Ils ont souvent été obligés de quitter leur patrie en raison de troubles politiques, ou parce qu'un quelconque dictateur avait pris le pouvoir. Et puis il y a les autochtones, des Blancs qui ont tenu le coup et qui travaillent la terre ; on les appelle les *crackers*.

J'avais mes anciens terrains d'exercice en Floride ; c'est là que j'avais vécu mon époque sauvage dans la CIA. De manière totalement inattendue, en 1982, la Floride redevint pour quelque temps un chez-moi.

Ma sœur Valérie était partie s'installer en Floride centrale, plus précisément à Eagle, près de Winter Haven. Après mon retour de l'île des Caraïbes, je devais en principe obtenir un job d'expert pour les affaires cubaines à la NSA (Agence nationale de sécurité), mais au lieu de cela je décidai de voler la voiture de la CIA que j'avais utilisée et de me rendre à Winter Haven. J'avais impérieusement besoin d'une pause et me sentais incapable d'assumer une nouvelle mission. J'emmenai Mark et lui montrai un peu le pays dans lequel il était en train de grandir et dont il ne connaissait rien. La CIA eut tôt fait de me retrouver et exigea de récupérer la voiture. Je leur donnai mon accord – et noyai la voiture dans le lac Eagle. Je m'amusai beaucoup lorsqu'ils débarquèrent dans la maison de ma sœur et que je les conduisis à l'endroit où la voiture avait coulé. Je leur dis que j'avais pris la précaution de fermer les fenêtres et que la voiture aurait besoin d'essence. Ma sœur me cassa les oreilles, comment avais-je pu faire une chose aussi mesquine ? Je lui rappelai que j'étais une créature de la CIA et que je pouvais faire avec eux tout ce que je voulais : « Je me contrefous de leur bagnole – ils ont une dette envers moi. »

J'avais donc besoin d'une nouvelle voiture pour retrouver d'une manière ou d'une autre la civilisation. Lors d'une promenade, je tombai sur une voiture abandonnée au bord de la route, avec quelques impacts de balles. Je trafiquai la serrure et le démarreur, et le fichu moteur voulut bien repartir. Un peu plus tard je traversai une petite ville nommée Eloise, manifestement oubliée de la civilisation depuis un bon siècle. Les gens y parlent avec l'accent du sud. Ils vous toisent de haut en bas avec mépris, parce qu'ils savent que vous n'êtes qu'un stupide Yankee. J'empruntai un viaduc, passai le long d'orangeraies, de cabanes et de caravanes. Les gens du pays étaient assis sur leurs vérandas, le long de la route sans accotement, buvant de la bière ou tirant sur leur pipe. Je me trouvai bientôt dans un océan de manguiers et d'orangers, avec une envie folle de fumer une cigarette Parliament.

Chez les vaches

Comme j'avais vu une vache dans un pré et que je la regardais un peu trop longuement, je heurtai en douceur une Cadillac. Un cow-boy barbu, haut de six pieds, portant des bottes très élégantes et un chapeau d'un volume étonnant ainsi qu'un pistolet à la ceinture, s'approcha lentement de ma voiture. Il avait l'air très contrarié. Les mains sur les hanches, il dit : « OK, ma petite dame, montrez-moi donc votre permis et votre numéro d'assurance. » Je ne pouvais rien faire d'autre que de lui dire la vérité : je n'avais que mon revolver. Il semblait sortir d'un vieux tableau du Far West et il était manifestement très gentil. Il s'appelait Alton Lymon Kirkland et toute la localité d'Eloise lui appartenait. « Tout, aussi loin que vous pouvez voir », déclara-t-il non sans fierté. Lorsqu'il me fit savoir qu'il était en mesure de me faire arrêter, je lui dis : « C'est d'accord, en taule j'aurai au moins droit à une cigarette. » M. Kirkland ne savait pas quoi penser de moi ; il m'ordonna de le suivre. Il disparut dans une boutique dont il ressortit bientôt du même pas nonchalant, portant six paquets de Parliament et un carton de bière légère. Puis il m'expliqua qu'il s'abstiendrait de me faire arrêter si je venais dîner avec lui le soir même. C'est ainsi que tout commença.

231

Alton me plaisait et je me demandais comment ce serait de vivre avec lui. Ce serait un bond dans le temps de trois cents ans – un retour à l'époque des pionniers. Il était adjoint de justice et propriétaire de la société de transport Kirkland Transfer Trucking and Co. De plus il possédait des plantations d'orangers, des fermes, des troupeaux. Sa réputation de sauvagerie valait bien la mienne. Un homme de cent douze kilos, « un morceau de choix pour n'importe quelle femme : appétissant, bien nourri, travailleur », ainsi se jugeait-il lui-même. Toutes les femmes l'aimaient, et ses employés le craignaient. Après trois semaines que nous passâmes à nous aimer et à faire connaissance, je me dis que ça pouvait marcher et l'épousai le premier janvier 1983 à la mairie du comté de Polk.

Je me demandais si je saurais vivre comme tout le monde et trouvais merveilleux le fait qu'Alton n'attendît rien d'autre de moi que de rester à la maison, de faire la cuisine, le ménage, et de m'occuper du jardin. Lorsque ma sœur me demanda quand j'allais attaquer ma prochaine mission, elle fut assez étonnée de m'entendre lui expliquer qu'au lieu de cela j'allais me marier. Pendant que j'étais à Fort Chaffee, elle avait entamé une liaison, à mon insu, avec Pino Fagiano, mon adversaire déclaré de la mafia de Brooklyn. C'est ainsi qu'elle le ramena dans mon existence. Sachant pourtant que Pino était mon ennemi, Valérie avait pris contact avec lui. A l'époque, elle rédigeait son doctorat de psychologie sur la passion du jeu, et avait choisi Fagiano comme objet d'étude. Lorsqu'elle m'apprit qu'elle s'était compromise avec ce personnage, je fus profondément choquée. Je partis immédiatement de chez elle pour m'installer chez Kirkland. Je fis venir un prêtre pour le mariage, et Alton me passa au doigt une bague splendide. En guise de cadeau de mariage, il m'offrit un livre

de cuisine et un fusil rare, une pièce de collection. Ma
sœur Valérie et Guiseppe Pino Fagiano assistèrent également au mariage. La vie comme femme de fermier
était merveilleuse. Je faisais tout pour rendre Alton heureux. Même les anciens m'acceptèrent au bout d'un certain temps ; ils m'assistaient dans les difficultés de la vie
quotidienne. Nous allions aussi danser parfois, Alton et
moi, et ma plus grande fierté était mon propre jardin. Je
commençai seulement à remarquer combien de choses
m'avaient manqué durant la vie que j'avais menée
jusque-là. Je me mis même à boire une bière très répan-
due dans la région. J'aimais les heures fraîches du
matin, avec les bruits qui les accompagnaient : le siffle-
ment des trains et le chant des coqs. Ma chèvre Billy ne
me lâchait pas d'une semelle. Peu à peu je parlai un
peu de moi à Alton : mon lieu de naissance, des histoires de famille, l'Allemagne, rien de plus. Ce n'était
d'ailleurs pas nécessaire, parce qu'il m'aimait pour moi-
même. Mais ma sœur fut incapable de tenir sa langue et
lui parla un jour de mon aventure avec Fidel. Kirkland
prit la chose avec humour.

Pino pris au piège

Lorsque Valérie vint avec Pino Fagiano à notre
mariage, mon mari s'enticha immédiatement de lui. Ils
se plaisaient réciproquement, et Alton était fasciné par
l'idée d'avoir pour ami un « vrai » mafioso de New York.
Pino était souvent chez nous, dans notre ferme, et se
soûlait avec Alton ; il lui apprit à consommer de la
coke. C'est dans ces circonstances qu'Alton se laissa
convaincre d'aider Pino dans ses « affaires » : il s'agissait
de transporter de la drogue sur l'autoroute 95. Alton
fournissait les camions ; plus tard, ceux-ci servirent aussi
au transport d'armes. Il ne voulait pas entendre mes

avertissements et les écartait par ces mots : « Je suis la mafia du Dixieland et j'ai signé un pacte avec la mafia de New York. » J'aurais voulu sortir dans la cour, la nuit, avec mon fusil, pour guetter Pino et le descendre.

Un jour, on frappa à la porte d'entrée principale. C'était inhabituel, Alton utilisant toujours la porte de derrière. Mon cœur battit la chamade lorsque je vis deux hommes en costume qui avaient une allure très officielle. Ils avaient l'air assez déplacés, car tout le monde à Eloise portait des jeans et des bottes et circulait en tracteur ou à cheval. Les deux hommes étaient arrivés dans une voiture noire aux vitres teintées. Deux autres types étaient adossés à la clôture ; ils avaient exactement la même dégaine. Tandis que j'appelais dans leur direction : « Qu'est-ce que vous voulez ? », je tendis instinctivement la main vers mon pistolet, que j'avais toujours sur moi, et pensai : « Il va falloir faire mes bagages, mais comment m'ont-ils trouvée ? Je n'ai pourtant rien raconté à personne. » Ils me dirent qu'ils appartenaient à l'unité spéciale d'investigation du FDLE (*Florida Department of Law Enforcement*) et qu'ils étaient chargés d'élucider un double meurtre qui avait été commis à Dania. Ils évoquèrent le nom de Pino Fagiano et dirent qu'ils avaient à me parler de toute urgence. Je décidai de collaborer pour mener Pino, qui s'appelait alors David Ring, derrière les barreaux. J'infiltrai un agent chez nous, en le présentant comme un vieux pote de l'époque des mercenaires dans les Everglades. Il montra de l'intérêt pour les armes et les drogues et fit bientôt affaire avec Pino. C'est ainsi que la police put réunir des preuves contre lui. La maison fut truffée de micros et un beau jour Pino tomba dans le piège, en acceptant un nouveau contrat au téléphone. Il fut arrêté peu après, et Alton avec lui. Je dus sacrifier mon mariage afin de mettre fin aux menées de ce criminel. Alton récolta un an de prison pour complicité de commerce illégal d'armes et de drogues. Pino fut libéré après quelques années seulement, en raison de je ne sais quel accord passé en prison avec le FBI.

Les enfants et moi, nous bénéficiâmes une nouvelle fois d'un programme de protection de témoins d'une durée de dix-huit mois, la police craignant que les amis de Pino ne veuillent se venger. Lors du procès de Pino, qui fit son entrée dans les annales de la justice sous le nom de « procès anti-drogue de Polk », d'autres faits, dont je n'avais rien su, furent révélés : ainsi, lors du double meurtre de Dania, Pino avait utilisé une des voitures de Kirkland pour faire disparaître les deux cadavres. Mon fils Mark fut également soupçonné de meurtre pendant un certain temps, parce que la police avait trouvé ses empreintes sur les sacs en plastique qui avaient servi à envelopper les cadavres. Pino avait demandé à mon fils d'aller lui chercher des sacs en plastique et du ruban adhésif dans l'atelier.

Lorsque Alton Kirkland fut libéré de prison, je crus que nous pourrions poursuivre notre union, qui avait été agréable, mais il ne voulait plus en entendre parler. Il ne pouvait pas me pardonner, et c'est ainsi que nous divorçâmes en 1985.

Survivre à New York

Lors de mon voyage de retour à New York, je fis une halte à Washington pour demander un peu d'argent à mon contact de la CIA. Il me donna 5 000 dollars, avec lesquels je voulais me construire une nouvelle vie. Mark et moi nous installâmes dans le Queens, sur Northern Boulevard, où nous louâmes un appartement non meublé. J'appelai Frank X. et lui demandai de l'aide. Il me procura un job d'employée de sécurité auprès d'United Airlines, à l'aéroport La Guardia. Pour la première fois de ma vie, je devais me débrouiller toute seule, aller travailler comme une personne normale, payer mon loyer et mes impôts...

Mon travail consistait à fouiller les bagages des passagers avec un chien dressé pour repérer la drogue. Au bout d'un an, je dis à Frank : « Je n'ai plus envie de fouiller les sous-vêtements des gens, c'est indigne de moi. » Je voulais recommencer à travailler comme agent, c'était la seule chose que je savais vraiment faire. Une société privée de sécurité, qui travaillait pour le FBI, m'engagea alors et m'envoya espionner dans une réserve de diamants du gouvernement. Les employés étaient soupçonnés d'avoir volé pour plusieurs millions de dollars de diamants. Après avoir découvert que certains d'entre eux en faisaient disparaître dans leur cannette de Coca au moment du tri, je fus promue à d'autres fonctions mais refusai le poste qu'ils me proposèrent en Alaska. Mon travail suivant me conduisit dans une société d'assurance maladie qui m'engagea comme enquêtrice-espionne pour les affaires d'escroquerie à l'assurance. Mon dernier emploi fut celui de soigneur dans une pension pour animaux du Queens. Je vivais alors très retirée et solitaire. Seuls mon travail et Mark comptaient pour moi. Je continuai de rencontrer le chef de police Frank X. une fois par semaine à l'hôtel Marriott.

Je quitte la CIA

Un jour où Mark et moi roulions à vélo le long de la 34e Rue, dans le Queens, nous vîmes une affiche placardée contre un arbre, qui appelait à une manifestation de solidarité avec le Nicaragua. L'intervenant principal devait être Philip Agee, un ancien agent de la CIA qui avait démissionné. Mark me traîna à cette

236

soirée de solidarité, qui avait lieu dans une église, et je fus bouleversée : une femme montra des diapositives de blessés et d'enfants mutilés à cause d'armes que la CIA avait livrées aux *contras*. Rien n'avait changé depuis mon époque aux Everglades ! La CIA ne s'était pas améliorée. Philip Agee n'était pas à la soirée, mais on vendait son livre, *On the ran*, qui raconte l'histoire dramatique de sa sortie des services secrets. Je le lus d'un bout à l'autre dans la douleur, l'absorbai comme une éponge. Moi aussi je voulais quitter l'Agence, mais comment ?

Je recevais de temps à autre la visite d'agents de la CIA, pour que je n'oublie pas que j'étais des leurs. Ils voulaient me remettre en selle et menaçaient de me dénoncer au fisc, afin que je file doux. Mes velléités de départ pour la vie civile ne leur plaisaient pas du tout. Le livre de Philip donnait l'adresse à Washington de l'institut *Christic*, qui militait pour l'arrêt de l'intervention des États-Unis au Nicaragua en faveur des *contras*. Je pris mon courage à deux mains, appelai l'institut et leur demandai s'ils pouvaient m'aider. David MacMichael prit mon appel : c'était un ancien analyste de la CIA, spécialisé dans l'Amérique centrale. Je lui donnai mon numéro de la CIA et le numéro de mon certificat d'immunité. Il dit : « Patientez, je vous rappelle. » Il rappela et je lui envoyai, ainsi qu'à Philip Agee qui s'était installé à Hambourg, une lettre dans laquelle je racontais mon histoire.

David me demanda si j'avais besoin d'aide. Je lui répondis par l'affirmative, car j'avais entre-temps perdu mon travail. Il m'envoya de l'argent pour mon loyer. Nous fondâmes une sorte de fraternité d'anciens agents de la CIA. Pour nous protéger, nous nous fîmes connaître du public. Notre conférence de presse eut lieu en 1988 à Washington. La salle était pleine à craquer et toutes les grandes agences d'information du monde étaient représentées. Dorénavant, je ne pouvais plus faire marche arrière. Nous avions franchi une limite invisible. Une telle chose ne s'était encore jamais produite en Amérique. Tous les quinze, nous avions fait du sale boulot pour la CIA et faisions partie des rares *bad guys* ayant mauvaise conscience. Le colonel Philip Roettinger était le plus ancien du service parmi nous : en 1954, sur ordre de la CIA, il avait fait tomber le gouvernement du Guatemala et contribué ainsi à la mise en place d'une dictature militaire. Phil Agee avait été obligé d'émigrer en Allemagne après avoir été le premier agent de la CIA à rendre public ce qu'il en savait dans le livre *Inside the company*. Il avait été en poste au Mexique et en Amérique du Sud et y avait mis en place des mouvements contre-révolutionnaires. Il y avait une autre femme à part moi dans le groupe, Mary Embree. Elle avait travaillé dans les services de recherche de la CIA et mis au point des poisons indétectables, qui devaient servir à éliminer des politiciens étrangers indésirables.

Lors de la conférence de presse, quelques officiers du FBI et de la CIA étaient présents dans le public pour savoir jusqu'où nous étions prêts à aller dans nos révélations. J'eus beaucoup de mal à les regarder dans les yeux.

Oliver Stone

Nos révélations avaient éveillé la curiosité d'Hollywood. Un riche producteur nous invita dans sa villa d'Hollywood pour y rencontrer quelque trois cents producteurs, réalisateurs et acteurs qui mouraient d'envie de faire connaissance avec de vrais espions. Je portais un jean et des bottes noires. Une actrice me toucha avec respect et me dit sur un ton très affecté : « Vous permettez que je vous touche ? Grâce à Dieu, vous n'avez pas assassiné Castro. Ç'aurait été une tragédie pour l'humanité, il est si charismatique. Je l'aime. » Je ne connaissais aucune des stars alentour et me retirai dans la cuisine, pour trouver quelque chose de bon à manger. Il y avait là un type charmant, à qui je demandai : « Et toi, tu es qui ? » Il répondit : « Je suis Oliver, *the stone.* »

C'est ainsi que je fis sa connaissance ; il se mit bientôt en tête d'épouser ma fille, Mónica. Il voulait savoir ce que je comptais faire à présent, maintenant que j'avais quitté la « Firme ». Je lui répondis : « Rien du tout, car je n'ai aucune formation : je peux faire exploser ton yacht, t'assassiner, faire sauter ta maison, la truffer de micros, mais à part ça je ne sais rien faire. » J'étais d'une autre planète pour Oliver. Hollywood eut pitié de moi : les invités de la soirée créèrent spontanément un fond d'aide à mon intention, qui m'assura 3 000 dollars par mois pendant deux ans, pour me permettre d'accéder à une vie normale. De plus Oliver Stone voulait faire un film à partir de mon histoire et me demanda de l'écrire « depuis le commencement ». Je lui dis qu'il n'y aurait certainement personne pour s'intéresser à ma vie pourrie et que je ne savais même pas ce qui s'était vraiment passé durant les sept premières années de ma vie. « Et alors, rétorqua-t-il, voici 10 000 dollars, prends un billet d'avion pour l'Allemagne et fais des recherches. » C'est ainsi que je retournai pour la première fois en Allemagne après tant d'années et me mis à la recherche de traces, à Bad Münster am Stein, à Bergen-Belsen et à Brême.

Puis Stone acquit une option sur mon histoire, ce qui hélas n'a encore rien donné jusqu'à présent. Nous nous sommes disputés parce que j'avais, sans réfléchir, signé un contrat avec une société allemande nommée « Fidel » lors de ma visite à Brême. Par un contrat que je n'étais pas capable de comprendre, je lui avais prétendument cédé les droits sur l'histoire de ma vie. Il y eut alors un conflit juridique, et Oliver dut payer ces gens. Après cela, il cessa de me voir et tourna son film *JFK*, dont je fus néanmoins conseillère. Aujourd'hui la brouille est depuis longtemps oubliée, nous sommes redevenus des amis et nous écrivons des lettres charmantes.

Comme le projet de film de Stone n'avait pas eu de suite, je me retrouvai de nouveau sans le sou et j'acceptai dans ma détresse la proposition de ma sœur Valérie de venir à Baltimore pour travailler comme employée administrative dans sa clinique. Je travaillais dur et finançai avec les 25 000 dollars qu'il me restait du contrat passé avec Oliver le premier acompte pour une maison que je voulais acheter. Mais n'ayant pas réussi à régler toutes les traites, j'échouai dans cette tentative de prendre enfin racine. J'ai travaillé à Baltimore jusqu'en 1998, pour 100 dollars par semaine. Ma sœur estimait que ça me suffisait, alors que ce n'était même pas assez pour me nourrir convenablement. Puis je devins inapte au travail parce que l'articulation de ma hanche était cassée. Je marchais avec des béquilles et il ne me restait rien d'autre à faire que de frapper à la porte des services sociaux. L'administration enquêta pendant six mois pour savoir si je n'avais pas de l'argent caché quelque part avant de me délivrer enfin mon certificat d'invalidité. C'est seulement alors que je reçus de l'aide sociale un versement rétroactif de 3 000 dollars. Lorsque l'argent arriva, j'appelai immédiatement Mark à New York : « Viens me sortir d'ici. »

Sur la fin

Mark loua une camionnette et me rejoignit la nuit même à Baltimore. Depuis, je vis dans mon petit appartement du Queens, avec les 411 dollars d'aide sociale, et un loyer de 750 dollars par mois. Ce loyer, je dus le gagner moi-même : j'allais, ou plutôt je rampais dans les rues sur mes béquilles, à la recherche de meubles abandonnés. Une fois rentrée chez moi, je les restaurais, puis les revendais. Il arriva un moment où je ne pus plus marcher du tout, les douleurs devinrent insupportables. Mais pour l'opération, il fallait attendre, car je n'avais pas encore l'âge où les soins sont pris en charge à cent pour cent par l'assurance maladie. Il m'était impossible de rassembler les 3 000 dollars nécessaires à l'opération. J'étais un être brisé, solitaire, accablé de douleur et souvent affamé.

A l'automne 1998, ma situation empira encore : comme je n'avais pas payé mon loyer depuis plusieurs mois, je fus expulsée. La vision de mes albums photo, des souvenirs de mes parents, des bateaux, de Fidel éparpillés dans la rue m'arracha des larmes. Ma vie d'aventurière devait-elle donc se terminer de façon si lamentable ? J'avais encore un pistolet et pensai me suicider. Si je ne l'ai pas fait, c'est seulement pour Mark, que je ne voulais pas laisser seul. Mes rapports avec Mónica étaient alors si mauvais qu'elle ne m'aurait pas prêté un dollar, bien que prodigieusement riche. Depuis, nous nous sommes réconciliées.

Mark demanda de l'aide à la communauté juive du Queens, et le « conseil pour la pauvreté juive » de New York, une organisation caritative, m'envoya un chèque de 2 500 dollars, bien que je ne sois pas juive, à titre de survivante de l'Holocauste. Cela m'a sauvée. Je payai mon loyer avec l'argent des Juifs, et les premiers versements d'honoraires que je reçus de la radio-télévision allemande pour ma collaboration au documentaire *Cher Fidel* me permirent enfin, en 1999, de me faire opérer de la hanche. Je vendis mon pistolet 150 dollars à un voisin afin de ne plus être tentée de m'en servir. A la fin de cette même année je reçus à ma grande surprise un dédommagement du gouvernement fédéral allemand pour le temps passé à Bergen-Belsen, 10 000 dollars pour chaque mois passé dans le camp de concentration. Cela m'était cependant désagréable parce que l'Allemagne est ma patrie et que je ne voulais rien coûter aux Allemands.

Un avocat de Washington, Herman Marks, avait retrouvé ma trace. Il fit en sorte, en collaboration avec le ministère de la Justice, qu'environ deux cent cinquante survivants de l'Holocauste ayant la nationalité américaine reçoivent une indemnisation. Je voulais verser cet argent à mon assurance retraite, mais ce beau rêve s'évanouit : les autorités américaines, considérant que je disposais à présent de ressources, me supprimèrent l'aide sociale.

Ce pays ne veut pas me laisser vivre et vieillir en paix. Il faut que je parte d'ici. Mon souhait serait de retourner en Allemagne. C'est ma patrie, malgré Bergen-Belsen.

Un regard en arrière

J'étais une petite fille dans un monde froid et méchant, et j'ai appris à rendre les coups pour survivre. Cela ne m'a pas permis de trouver mon moi véritable. Je me suis souvent adaptée, comme autrefois à Bergen-Belsen, mais je me suis aussi vengée des souffrances qui m'avaient été infligées. Je ne suis jamais vraiment devenue adulte, ma vie a toujours été déterminée, et elle l'est encore, par des forces extérieures et par des hommes forts. J'ai souvent l'impression d'être restée un petit chien, qui surmonte sa faiblesse et sa peur en se donnant l'air fort. Je fuis toujours l'abîme que je ressens en moi depuis l'enfance. Je suis et je reste une enfant de la guerre. D'un autre côté, je suis reconnaissante d'avoir eu cette vie. Car j'ai vu et senti le monde. Ma vie a été foncièrement instable, fragile, mais au moins je peux dire que j'ai vécu. L'impossibilité de rester en place m'habite profondément. Je suis un marin dans l'âme.

Beaucoup d'hommes passent leur vie entière dans leur appartement ou ne quittent jamais leur ville. Je les plains, parce qu'ils ne perçoivent et ne ressentent rien d'extérieur à leur petit monde borné. Grâce à mon père, j'ai beaucoup circulé et suis devenue citoyenne du monde. Personne ne peut m'en faire accroire. J'ai bien sûr des limites, intérieures et extérieures. Mais en dépit de la contrainte de l'adaptation, je suis restée mon propre maître. J'ai travaillé pour moi seule, et ce faisant j'ai gardé mes valeurs morales. Ce n'est pas simple, lorsqu'on a constamment affaire à des psychopathes et à des tueurs. Les hommes de qualité se cachent, les méchants sont faciles à trouver. Je n'ai pas choisi les hommes que j'ai rencontrés dans ma vie. Les méchants m'ont toujours attirée. Je voulais savoir comment ils fonctionnent. Ils ont cru que j'étais capable de tout, et que je saurais étouffer tous mes sentiments, parce qu'enfant déjà, j'avais vécu avec des cadavres. Mais cela n'a pas fonctionné. J'ai toujours été trop humaine pour la CIA, c'est pourquoi je me suis souvent retrouvée dans des situations où j'ai refusé d'obéir. Pour rester en vie, il m'a fallu maîtriser nombre de situations dangereuses et subir beaucoup d'épreuves. Je n'ai pas choisi cette vie dangereuse, ce sont les circonstances qui me l'ont imposée : la guerre, Bergen-Belsen, le viol, les psychopathes de la CIA, la mafia, l'abandon dans la forêt... A partir de ma rencontre avec Fidel, ma vie fut une trajectoire de vol à grande vitesse qu'il ne m'a plus été possible de quitter, même si je l'avais voulu. Chaque aventure conduisait de façon nécessaire à une autre. C'est pourquoi je dis parfois : « Fidel a gâché ma vie. » Il ne l'a pas cherché, mais c'est à cause de lui que je suis tombée dans cette sale guerre qu'ont menée les États-Unis contre Cuba et la « subversion communiste ».

Je suis une artiste de la survie. Chaque fois que je me suis trouvée dos au mur, j'ai pensé aux orchidées de la jungle vénézuélienne. Ou à la petite pâquerette que j'avais trouvée un jour au pied des barbelés de Bergen-Belsen. Lorsque je vois cette fleur devant moi, je sais une chose : quoi qu'il arrive, il reste toujours de l'espoir.

10

CHER FIDEL...

Par un matin froid de janvier 2000, nous avons installé notre caméra devant l'ambassade cubaine à New York pour le tournage de Cher Fidel. *Dans un instant Marita Lorenz va apparaître et déposer la lettre qu'elle a écrite à Fidel Castro. Elle s'est décidée à retourner avec nous à Cuba, le lieu de son grand amour. La lettre sous le bras, une immense toque de fourrure russe sur la tête, serrée dans une veste bleue et blanche, Marita remonte à pas lourds l'avenue Lexington. Bien protégé derrière des grilles et des herses, le vieux bâtiment de brique de l'ambassade cubaine ressemble à l'avant-poste d'une puissance ennemie.*

Marita est extrêmement tendue. Nous devons interrompre les prises de vue avant d'avoir pu tourner tous les plans : elle souffre d'une angine de poitrine et doit prendre des médicaments. Je suis convaincu que Marita, malgré sa promesse, ne participera pas au tournage à Cuba. Elle ne supporterait pas de devoir faire face aux souvenirs de son amour malheureux. La peur de la confrontation avec la vérité risquerait de devenir trop intense, trop dangereuse. Le doux rêve d'un happy end *avec Fidel et de retrouvailles avec son fils Andrés pourrait se révéler aux yeux de tous comme une illusion à laquelle elle s'accroche telle une naufragée.*

Marita prend le large

Combien de fois ne me suis-je pas trompé sur le compte de Marita ! Lorsque nous prîmes l'avion, en mars 2000, pour le Mexique, d'où nous partîmes en bateau pour la Havane, elle se montra d'excellente humeur, et notamment très avide de sentir enfin à nouveau les planches d'un pont de bateau sous ses pieds.

Nous naviguions sur la Valtur Prima, *un des plus vieux bateaux de croisière du monde qui soient encore en circulation. Construit en 1948 en Suède, il s'était fait en 1956 une réputation de terreur des océans du globe après avoir heurté, puis coulé, l'*Andrea Doria *dans l'Atlantique. Le* Berlin *d'Heinrich Lorenz naviguant non loin, Marita à son bord, le capitaine avait voulu se rendre sur le lieu de la catastrophe pour recueillir des naufragés. Mais il était arrivé trop tard. Marita se souvint avoir vu pour la première fois son père pleurer. En janvier 1960, le gouvernement de la RDA avait racheté le navire maléfique et l'avait remis à la Fédération des syndicats libres d'Allemagne. Celle-ci le baptisa* L'Amitié entre les peuples *et l'envoya en croisière jusqu'en 1985, à l'usage exclusif des « ouvriers méritants ». Après une période intermédiaire durant laquelle elle servait d'habitation flottante aux demandeurs d'asile, à Oslo, la vieille dame fut complètement transformée et modernisée à Gênes en 1990.*

Marita fut saisie par la beauté du vieux bateau, si différent des monstres anguleux que sont nombre de bateaux de croisière modernes, avec sa ligne élancée et racée. La Valtur Prima *jouissait d'ailleurs de sa sympathie du simple fait qu'elle violait l'embargo du gouvernement américain pour accoster à Cuba. Marita arpenta sans répit les quatre ponts du navire et finit par s'étendre avec volupté dans une amarre roulée sur le pont arrière.*

*Puis elle se releva, monta sur la passerelle et alla échan-
ger avec le capitaine qui naviguait depuis cinquante
ans des histoires de marins du bon vieux temps. Dans sa
cabine, elle déballa des cadeaux : un outil multifonction
Leatherman pour Fidel, parce qu'il aime tant la pêche et
la chasse, et pour ses subordonnés des étuis en plastique
remplis de babioles dont beaucoup portaient le nom
d'hôtels dans lesquels nous étions descendus lors de
notre tournage aux États-Unis. Sans que nous ayons
rien remarqué, Marita avait consciencieusement fait le
ménage. Pour elle, il ne s'agissait pas d'un vol, mais
d'une juste redistribution des ressources en faveur du
tiers-monde.*

*Lors d'une escale à Montego Bay, en Jamaïque, elle
compléta ses provisions avec des T-shirts rasta, des
gâteaux, de la bière à base de marijuana, des bougies
odoriférantes, du savon à la marijuana. Sa cabine se
transforma progressivement en bazar oriental. Elle
goûta bientôt le gâteau de ganja, puis s'étendit sur son
lit avec une mine ravie et joua des chansons de marins
sur son harmonica. Elle avait posé à côté du lit le vieux
vanity-case American Traveller où elle avait mis les pastilles de poison destinées à Fidel Castro en 1960 en arrivant à Cuba. La casquette de commandant vert olive
que Fidel lui avait offerte en 1959, vieille et graisseuse,
était elle aussi du voyage. Marita dit avec tristesse : « Elle
est tout ce qu'il reste de mon amour détruit. »*

*Pendant le voyage, son fils Mark se réjouissait surtout
de rencontrer son demi-frère cubain. Il se dit « sûr à
90 % » que le fils qu'elle aurait eu avec Fidel Castro
n'était pas un rêve et qu'il existait bel et bien. Alors
pourquoi 10 % de doute ? Il répondit sans hésiter : « Cela
fait trente ans que je connais Marita et j'ai étudié ses
histoires. Mais je suis loin de tout connaître et chaque
jour apporte de nouvelles surprises. »*

247

Qu'allait-il se passer lorsque nous arriverions à Cuba? Nous attendions depuis des mois une autorisation de tournage du ministère cubain du Cinéma. Il n'était pas encore certain que nous pourrions effectivement descendre du bateau. Les dernières nouvelles que nous avions eues de la productrice, Yvonne Ruocco, indiquaient que notre projet de film avait circulé entre plusieurs ministères. Le ministre du Cinéma, Alfredo Guevara, compagnon de lutte et ami de Fidel Castro, s'était personnellement occupé du projet. Il le trouvait « extrêmement intéressant », mais ne put malheureusement pas prendre la décision lui-même, parce que le sujet du film était « trop politique ». Il devait d'abord demander à Fidel. Et papa Fidel finit par dire oui, puisque nous pûmes débarquer sans problèmes au terminal des passagers de La Havane le 5 mars 2000. Toutefois, l'interview de Fidel Castro que nous avions sollicitée fut refusée sans explication.

Jesús Yáñez Pelletier était l'étape suivante. Allions-nous oser contacter cet « ennemi de l'État », au risque de perdre les autorisations et toute la pellicule tournée à Cuba? En dépit du danger, nous prîmes la décision d'aller voir cet homme d'honneur. Un soir je me glissai, sans être vu, dans son appartement de la rue Humboldt pour lui parler. Il fut tout de suite enthousiasmé à l'idée de rencontrer Marita. Nous convînmes d'une rencontre secrète pour le lendemain, mais où? Hôtels et restaurants fourmillaient de membres de la police secrète, son appartement était constamment sous observation. Nous nous arrêtâmes à l'idée de faire une tentative en plein jour sur une place animée, au centre de La Havane, à l'angle de la rue commerçante San Rafael et de Galiano.

Le lendemain, Yáñez Pelletier se rendit en taxi à l'endroit convenu. Le caméraman était posté, apparemment étranger à ce qui se passe, de l'autre côté de la place.

Grâce à une longue focale, il tenait Yáñez Pelletier dans son viseur. Celui-ci s'assit sur un banc, s'essuya le front avec un mouchoir rayé. L'heure convenue arriva, Marita ne venait pas. Mais Pelletier ne se laissa pas si facilement congédier. Au mépris de toutes les règles de la conspiration, il me demanda de l'appeler à l'hôtel. Au téléphone, il pria Marita de venir. La voix était presque suppliante : « Ce qui s'est passé autrefois ne peut plus être changé. Peu importe ce que tu as fait. Je veux te voir et t'embrasser. » Il était déçu par le comportement de Marita : « Je n'aurais pas cru qu'elle était si peureuse. » Je lui demandai ce qu'il éprouvait aujourd'hui pour son ancien compagnon de lutte Fidel Castro. « Aucune haine mais de la mélancolie pour la perte d'une amitié profonde, et de l'amertume », répond-il. D'après lui, Fidel avait détruit la vie de sa mère. Elle était morte de chagrin tandis qu'il était en prison. Il ne pourrait jamais pardonner cela à Castro. Pas plus que le fait qu'il ait « trahi » les idéaux de la révolution pour imposer sa dictature personnelle au pays. Fidel traitait Cuba comme sa propriété personnelle. Après toutes ces années de prison, il lui avait écrit encore une fois. « J'aurais voulu que nous discutions des problèmes du pays en toute sincérité, comme autrefois, mais il n'a même pas répondu. » Et s'il avait l'occasion d'empoisonner Fidel ? Il ne le ferait pas plus qu'en 1953 : seul Dieu peut le juger, et sa propre conscience.

Ce soir-là Marita était furieuse contre moi : je voulais la contraindre par tous les moyens à rencontrer Yáñez Pelletier, mais je pouvais toujours courir : « C'est un ennemi de l'État et je suis du côté de Fidel. » Marita se retira en boudant et écrivit une lettre à Fidel. Elle ne voulait pas entendre parler de moi pour le moment. Je n'étais sans doute, moi aussi, qu'un agent de la CIA chargé de se servir d'elle pour contrer Castro.

Ma pauvre Havane

Lorsque la *Valtur Prima* entra dans le port de La Havane, j'étais sur le pont avec Mark et je pensais avec nostalgie à l'arrivée au port du *Berlin* en 1959, quarante ans plus tôt ! Que pense Fidel ? Que je reviens, et encore une fois en bateau ? Vue depuis la mer, La Havane n'a pas changé : les somptueuses coupoles du Capitole et de l'opéra, le Malecón avec ses amoureux et ses pêcheurs à la ligne, et les galeries à arcades des anciennes maisons espagnoles. Surplombant le quartier du Vedado, la haute tour du Habana libre, où j'ai connu mes plus beaux moments avec Fidel.

A l'époque, les rues étaient animées d'une activité trépidante : il y avait des révolutionnaires barbus et des Jeeps partout, et à présent les rues étaient presque désertes. Les splendides maisons, autrefois l'orgueil de la nation, étaient maintenant pâles et grises. Elles tombent en ruine et un grand nombre d'entre elles ont besoin d'être étayées par des poutres pour être préservées de l'effondrement. L'état lamentable de ces maisons résulte d'années de négligence, des tempêtes tropicales et de l'assaut des vagues qui se jettent inlassablement au-dessus des fortifications, leur écume salée effritant la maçonnerie morceau par morceau.

La Havane est restée la même, et pourtant elle a changé. Lors de mes longues promenades à travers la vieille ville et le centre, j'ai retrouvé nombre de rues familières. Les hommes aussi m'ont paru très familiers : ils étaient courtois, curieux et fiers. Fiers de ce qu'ils ont créé, particulièrement dans les domaines de la santé et de l'éducation, en dépit de la menace que les États-Unis font peser sur eux depuis des années. Les mafiosi et les gangsters qui régnaient autrefois sur La Havane ont disparu, mais également l'éclat que la ville avait alors.

L'esprit révolutionnaire vit encore, mais il plane loin au-dessus de la ville. La Havane a vieilli, comme Fidel lui-même. Personne ne dit du mal de lui. Les gens ont peur d'ouvrir la bouche. Ils se tortillent et disent : « Ma foi, ça va s'arranger. Nous vivons une *periodo especial.* » Le problème, c'est que cette « période spéciale » dure depuis quarante ans.

On manque de tout : d'huile de table, de viande, de fruits, de savon, de papier hygiénique, d'aspirine. On ne trouve à peu près rien, sauf si on a la chance de posséder des dollars. Dans ce cas on peut s'acheter tout ce qu'on veut dans les magasins à devises destinés aux touristes et aux diplomates. C'est injuste et déprimant. Mais Fidel ne s'en occupe pas. La position qu'il soutient ? Celui qui n'aime pas n'a qu'à déguerpir ! Mais ce n'est pas si facile ; après tout, Cuba est une île. Des centaines de personnes se sont noyées ou ont été dévorées par les requins en essayant de gagner Miami à bord de bateaux de fortune. Autrefois tout le monde voulait aller à la rencontre de Fidel, aujourd'hui tout le monde le fuit.

Ce qui m'a le plus choquée, c'est le manque d'énergie. Les gens se meuvent lentement ou restent assis, paresseux et vidés. Cela fait longtemps qu'ils sont trop fatigués pour se battre. Ils attendent, sans savoir quoi. Mark et moi avons souvent pris notre petit déjeuner dans la cafétéria du Habana libre en observant la vie de la rue. Ce que j'ai vu m'a attristée : de jeunes filles, presque des enfants, qui vont à l'hôtel avec des hommes d'affaires canadiens, et des gens qui mendient auprès des touristes pour obtenir quelque chose à manger. Une femme de mon âge est brusquement apparue devant la vitre, maigre et misérable. En 1959, elle était certainement une belle révolutionnaire passionnée. Un grand froid m'a envahi le cœur et j'ai pensé à Bergen-Belsen quand nos regards se sont croisés : elle avait faim. J'ai

251

voulu l'inviter à prendre un hamburger et j'ai envoyé Mark la chercher. Elle était presque entrée lorsqu'un agent de sécurité en civil a brusquement surgi, l'a prise par le bras et entraînée dehors sans un mot, avec un professionnalisme incroyable. Je me suis interposée pour essayer de l'aider, sans quoi elle aurait peut-être même été jetée en prison pour « mendicité ». Je m'adressai à l'homme sans cœur : « Tu ne peux pas faire une choses pareille dans le Cuba de Fidel, tu n'es pas un révolutionnaire, les "barbus" étaient différents. » Je n'ai rien pu manger de la journée.

Dans la rue, les gens me racontent que les choses commencent à s'améliorer lentement. L'époque la plus pénible aurait été 1992-93. Il n'y avait plus rien, même les chats avaient disparu des rues de La Havane, parce que les gens les avaient mangés. Cuba a des sols fertiles, du soleil et de l'eau. Pourquoi ne pas donner un petit jardin et un sachet de semences à chaque Cubain, pour qu'il plante lui-même ses légumes ? Il y aurait tant de choses à changer !

En face de l'hôtel Habana Libre, il y a une école primaire. Je m'y suis rendue, j'ai bavardé avec des élèves et leur ai offert des semences et des crayons. Ils étaient si reconnaissants ! L'école est si pauvre que les élèves d'une classe entière doivent se partager un seul crayon. Malgré cette misère, les enfants étaient merveilleux, pas agressifs et égoïstes comme aux États-Unis. Ils partagent tout, sont respectueux, sérieux et désireux de s'instruire. Fidel peut vraiment être fier d'eux. Les habitants de Cuba reconnaissent ce que Fidel a fait pour eux. Lui et son peuple vont survivre, en dépit de l'embargo.

Lorsque j'étais allée à Cuba autrefois, en 1959 et en 1981, je vivais dans une tour d'ivoire, hôtels de luxe ou résidences du gouvernement. Au cours du présent voyage, j'ai connu Cuba par la rue et, grâce à des dizaines de conversations, je me suis fait ma propre idée de la situation. J'ai appris à aimer Cuba d'une nouvelle façon, et je ferai tout ce que je pourrai pour que le gouvernement des États-Unis suspende enfin son embargo.

En attendant Fidel

Je n'ai pas voulu rencontrer Yáñez Pelletier, parce que Fidel compte davantage pour moi. Yáñez lui a sauvé la vie, tout comme moi, et Fidel s'est montré ingrat et sans scrupules à notre égard. Mais tant que subsiste l'espoir de rencontrer Fidel, je ne dois pas aller chez Yáñez Pelletier. Le *Commandante* ne me le pardonnerait jamais.

Personne n'ose dire la vérité à Fidel. Il se retranche de plus en plus de la réalité. Je sais qu'il passe souvent des heures dans son fauteuil à bascule sur la terrasse de sa maison à Cojimar, seul avec son chien Guardia, un berger allemand. Il regarde la mer et rêve. Il est temps pour lui d'aller pêcher et de laisser la politique à d'autres. Fidel sait que le temps lui est compté. Il aurait besoin de deux cents ans de plus pour réaliser toutes les promesses faites au peuple. Il sait que son ère touche à sa fin. Cela le rend très triste et je vois le désespoir dans ses yeux. Il n'a plus confiance en personne, excepté son frère Raúl et Ramiro Valdés. Les vieux compagnons de lutte sont presque tous morts, et il a la nostalgie des premières années de sa révolution, glorieuses et innocentes. Il a transformé la moitié du pays en musée de la révolution. Je crois que sa conscience le torture. Il a détruit tant d'hommes pour atteindre ses buts, sans même épargner ses meilleurs amis.

Un des derniers de la vieille garde, le général Arnaldo Ochoa, a été exécuté en 1989. Pour sauver la peau de Fidel, Ochoa, au cours d'un procès spectaculaire, a endossé la responsabilité du trafic de drogue que certaines instances gouvernementales cubaines avaient organisé avec la mafia colombienne. Ochoa fut le bouc émissaire. C'est comme si Fidel s'était coupé un doigt de la main. En faisant exécuter Ochoa, il s'est détruit lui-même.

J'étais fermement convaincue que Fidel me recevrait, et j'attendais qu'il m'envoie quelqu'un à l'hôtel. Il savait que j'étais dans le pays. Ses services secrets savent tout. Mais pendant cinq jours il me laissa me promener à La Havane comme une touriste et ne se manifesta pas. Je me sentais désemparée. Le 8 mars, je le vis à la télévision. Il tenait un discours pour la Journée des femmes. Il avait l'air très fatigué et gris, des cernes sombres sous les yeux. Sa voix était traînante et monotone. Il avait constamment des absences et mélangeait les papiers manuscrits qui se trouvaient devant lui. Les femmes présentes dans la salle des congrès observaient un silence gêné. Personne ne se levait pour l'aider. Il me fait beaucoup de peine, il est vidé et déboussolé. Mais il n'abandonnera pas, il continuera de lutter jusqu'à son dernier souffle.

Au Conseil d'État

Ma patience était à bout. Je voulais le voir. Je pris un taxi avec Mark et me rendit sur la place de la Révolution, derrière laquelle se trouvent les bâtiments du Comité central et du Conseil d'État. Le chauffeur de taxi devint nerveux lorsque je lui demandai de s'engager sur la rampe menant au Conseil d'État. Lorsque nous arrivâmes près de la guérite, la voiture fut arrêtée par des soldats. Je leur expliquai que je voulais voir Fidel, et ils se précipitèrent sur le téléphone. A la grande surprise du chauffeur, ils reçurent l'ordre de nous laisser passer. Nous empruntâmes un tunnel souterrain pour nous rendre au bureau de Fidel. Il vit rigoureusement à part, comme dans une forteresse, parce qu'il continue de craindre une tentative d'assassinat par la CIA. Dans l'antichambre, je fus très amicalement reçue par deux de ses secrétaires. Elles avaient manifestement prévu ma visite et me prièrent d'attendre Chomy. Chomy est le secrétaire privé de Fidel, il a exactement les mêmes tâches que Celia Sánchez autrefois.

Lorsque Chomy entra, il me prit dans ses bras comme une sœur. Il prit mes mains dans les siennes et me transmit les salutations de Fidel. Le *Commandante* ne pouvait malheureusement pas me recevoir, parce qu'il était trop occupé par l'affaire Elián. Elián est ce petit Cubain que sa mère emmena sur un bateau pneumatique lorsqu'elle voulut s'enfuir à Miami. La mère se noya, mais l'enfant fut sauvé par un pêcheur de Floride et recueilli par son oncle cubain en exil à Miami. Fidel organisa des manifestations gigantesques pendant des semaines à Cuba, afin de contraindre le gouvernement des États-Unis à rendre Elián à Cuba. Je sentais la proximité de Fidel et j'entendais très vaguement sa voix. Il était sans doute assis dans la pièce voisine, et j'étais certaine que Chomy et lui avaient parlé de moi. Pendant un moment, j'eus l'impression qu'il regardait à travers les rideaux. Je remis à Chomy ma lettre pour Fidel ainsi que les cadeaux. Il me remercia avec beaucoup de cordialité et je pris congé.

Je repartis avec des sentiments mêlés : d'un côté, j'étais triste de voir qu'il n'avait pas pris une minute de son temps pour me dire bonjour ; d'un autre côté, l'accueil amical que je venais de recevoir me faisait clairement comprendre que Fidel ne m'avait pas oubliée et que, sans aucun doute, il m'aimait encore un peu. Je suis tout de même son agresseur préféré et il me doit la vie. Je reviendrai lorsqu'il aura plus de temps.

Mark et moi étions sur le point de boucler nos valises et de quitter l'hôtel, lorsque nous entendîmes un orchestre devant la porte qui jouait un air pour notre départ : *Volver,* de Carlos Gardel.

Un air triste qui parle du caractère éphémère de l'amour. Je fus émue aux larmes, car ces strophes contiennent toute ma vie :

> *Déjà le front est ridé*
> *Et la neige du temps*
> *A blanchi les tempes*
> *La vie n'est qu'un souffle*
> *Je ne voulais pas venir*
> *Mais on retourne toujours à son premier amour*
> *L'âme agrippée à un doux souvenir*

L'adieu à Jesús Yáñez Pelletier

Sur le chemin de l'aéroport, je changeai d'avis et décidai de rendre une courte visite à Jesús Yáñez Pelletier. Je me serais sentie lâche si je ne l'avais pas fait. Il était mon ami et nous avions pour destin commun d'avoir été trahis par Fidel. Il me reconnut depuis son balcon, et lorsque j'eus monté les marches conduisant à son appartement, j'entendis une symphonie familière de Beethoven. Il avait posé à la hâte le disque sur la platine et faisait retentir la musique au maximum, sans doute aussi pour saturer les micros de la Sûreté d'État.

Nous avions souvent écouté cette musique ensemble, autrefois. Ce fut un moment très émouvant lorsque nous tombâmes dans les bras l'un de l'autre. Je pris son visage entre mes mains et fus incapable de dire autre chose que : « Yáñez, comme tu es beau, vieux mais beau. » Nous ne nous étions pas vus depuis un demi-siècle et nous sentions pourtant si proches ! Durant le peu de temps dont nous disposions, nous parlâmes de toutes sortes de choses : de Fidel, de ses enfants, de la nouvelle femme qu'il avait, à ce qu'on disait, depuis plusieurs années, et des années que Yáñez avait passées en prison.

Je lui demandai si c'était à cause de moi qu'il avait été en prison. J'avais lu un jour qu'il aurait gardé pour lui-même 4 000 dollars confiés par Fidel en 1960, alors qu'il se rendait à New York, pour permettre à ma mère de payer les soins que j'avais reçus à l'hôpital Roosevelt. Yáñez me répondit qu'il s'agissait purement d'un mensonge de la CIA et que même les avocats généraux du tribunal militaire de Cuba n'avaient pas lancé ce chef d'accusation contre lui. Cette réponse me soulagea. Je voulus savoir s'il avait encore eu des problèmes avec la Sécurité depuis sa sortie de prison. Sa réponse me bouleversa : en 1990, alors âgé de soixante-quinze ans, il avait été agressé dans la rue et violemment frappé par des agents de la Sûreté pour avoir cofondé le « Mouvement pour les droits de l'homme ». Jusqu'où, mon Dieu, Fidel est-il capable d'aller ! Yáñez et moi pleurions dans les bras l'un de l'autre. Je lui promis d'adresser quelques mots bien sentis à Fidel si je devais malgré tout le revoir encore une fois. Sur le chemin de l'aéroport, je me sentis heureuse d'avoir eu le courage de rendre visite à Yáñez. Je ne l'ai pas regretté une seconde.

Il est mort quelques mois plus tard, le 18 septembre 2000. Sa disparition fut passée sous silence dans les journaux cubains, comme l'avait été sa vie. Fidel ne s'est même pas rendu à son enterrement. La mort de mon ancien compagnon de route m'a beaucoup attristée. Nous comptions nous revoir et parler calmement des événements passés. Il revenait à Fidel de lui pardonner et de le réhabiliter, pour que tous les Cubains soient fiers de son nom. Sans lui, Fidel n'aurait plus rien été à partir de 1953, et la révolution non plus.

Il viendra

Fidel est d'un caractère difficile. Tous ceux qui le connaissent l'aiment et le haïssent à la fois. Lorsqu'il mourra, je me sentirai très seule. Il est une partie de ma vie. S'il tombe malade et qu'il m'appelle, je viendrai auprès de lui. Je le verrai encore une fois, je le sais. J'ai encore quelques questions à régler avec lui. Pour pouvoir le voir, il faudra que je vienne seule et que je ne me fasse pas remarquer. Il suffira que je lui fasse savoir dans quel hôtel ou dans quelle maison je l'attends. Il est bien possible qu'il me fasse attendre pendant six mois. Après tout il est le roi, et tout le monde doit l'attendre. Mais il viendra, ne serait-ce que par curiosité. Et peu importe de quoi j'aurai l'air. L'époque tumultueuse n'est plus. Nous sommes vieux, tous les deux. Il sait que j'ai été opérée de la hanche et que j'ai eu une crise cardiaque. Il sait également que je l'aime toujours.

Nous parlerons alors sans doute de l'ancien temps, de La Havane de 1959. Cela lui fera du bien, car je suis un de ses derniers amis. Même ses enfants l'ont quitté, ils se sont éparpillés à travers le monde. Son aîné, Fidelito, a émigré en Espagne, parce que son père est affreusement exigeant et qu'il voulait diriger sa vie. Je crois qu'il pleurera quand je lui dirai tout ce que je pense et ressens. Il en a besoin, cela l'aiderait à sortir de son isolement. Mais je lui dirai aussi qu'il a bien mené son affaire et qu'il a tout fait pour lutter contre le mal. Pourtant le mal a été le plus fort, il est revenu : la corruption, la prostitution, la misère et la police. Et pourtant il haïssait la police de Batista ! Tout comme son ancien ennemi, il a mis en place un État policier.

Fidel, te rappelles-tu, à New York en 1959? Nous sommes allés au zoo, tu as passé ta main à travers les barreaux de la cage aux lions et tu as caressé ce lion, pour que chacun puisse bien voir que rien ne te faisait peur.

Cet ouvrage a été composé
par Atlant' Communication
à Sainte-Cécile (Vendée)

Impression réalisée sur CAMERON par

BRODARD & TAUPIN

GROUPE CPI

La Flèche
en novembre 2001

pour le compte des Éditions de l'Archipel
département éditorial
de la S.A.R.L. Écriture-Communication

Imprimé en France
N° d'édition : 443 – N° d'impression : 10442
Dépôt légal : novembre 2001